La bibliothèque Gallimard

Source des illustrations
Couverture : Liz Wright, *Le match de tennis* (détail). Collection particulière. Photo
© Bridgeman Giraudon.
Archives Gallimard Jeunesse : 187, 189. Bridgeman Giraudon/J-L Charmet : 129. Roger
Viollet : 8, 13.
© The Munch-Museum – The Munch Ellingsen Group-ADAGP Paris 2003 : 75.

Gaston Leroux

Le cœur cambriolé

Lecture accompagnée par
Christian Jacomino

La bibliothèque Gallimard

Florilège

«Oui, une bibliothèque de sciences occultes… Des bouquins invraisemblables sur le monde invisible, sur les *visages et les âmes*, tu vois ça d'ici : "les visages et les âmes…" Ah! et un livre illustré sur les stigmatisées, les médiums et les thaumaturges!… Est-ce que je sais? est-ce que je sais?… »

« Vois-tu, le psychisme, l'hypnotisme, la magie, il ne faut pas y toucher… On se monte la tête, on ne s'appartient plus! C'est une vraie maladie… »

« – Chère! chère, chère Cordélia! sanglotai-je… où es-tu?… où es-tu?… Enfin, l'ayant déposée sur sa couche, dans sa rigidité funèbre… je me mis à crier, à appeler comme un fou!… »

« Écoutez! L'homme s'était redressé dans la barque, la tête toujours inclinée sur le côté et le bras toujours arrondi autour d'une taille que je ne voyais pas! Car je ne voyais que lui dans la barque, lui et ce geste galant qui m'avait mis en fureur. Mais si je ne voyais qu'une personne dans la barque, *je les voyais tous les deux dans le miroir de l'eau!*… »

« *Il paraît, monsieur, que, depuis quatre jours, il s'enferme régulièrement dans sa chambre entre cinq et sept, après s'y être fait servir, sur un guéridon, une collation pour deux!* »

« Ô cœur de Cordélia! moi seul t'aimais!… *L'autre n'a jamais été qu'un artiste!*… »

Ouvertures

Une fabrique d'images romanesques

Entrée en matière

Avocat et journaliste – Gaston Leroux est né à Paris le 6 mai 1868. La première partie de son existence se déroule sur fond de paysage normand. En 1886, il s'installe à Paris pour y entreprendre des études de droit. Il prête le serment d'avocat en 1890, mais le barreau ne sera pour lui qu'une entrée en matière. Très vite, il s'oriente avec succès vers le journalisme. En 1894, il rend compte dans la presse de quelques procès retentissants en assises : ceux des anarchistes Auguste Vaillant, Léon Léauthier, Émile Henry et Caserio, qui se sont illustrés par des actions terroristes. Il devient ainsi l'un des chroniqueurs vedettes du quotidien *Le Matin*.

Non content de briller dans les pages judiciaires, il est l'un des six journalistes autorisés à accompagner le président de la République Félix Faure dans son voyage en Russie, en août 1897. En 1901, il accède au rang de grand reporter, ce qui lui vaut un salaire mensuel de 1 500 francs or, somme très importante pour l'époque. L'année suivante il est nommé chevalier de la Légion d'honneur pour services distingués dans la presse.

L'homme qui aimait le monde – Leroux multiplie les voyages. En 1904 il accourt, à Madère, à la rencontre de l'expédition

Nordenskjöld qui revient d'une mission d'exploration en Antarctique et qu'il raccompagne, à bord du *Tijuca*, jusqu'aux rives de la lointaine Suède d'où l'équipe était partie deux ans auparavant. Par l'enthousiasme qu'elles dénotent, la candeur juvénile du ton, les dépêches qu'il télégraphie journellement au *Matin* évoquent pour le lecteur d'aujourd'hui les romans d'aventures de Jules Verne. En effet, Leroux utilise un vocabulaire et un style assez similaires : « Tous ont des membres robustes, un cœur simple et des yeux clairs », note-t-il à propos des marins scandinaves dont il grossit le groupe.

Il passe l'année 1905 à parcourir la Russie pour essayer de comprendre les causes de la première Révolution. Il imagine déjà quelle en sera la suite : « Quoi qu'il en soit de la gravité des événements actuels, nous n'en sommes encore qu'aux escarmouches. Il ne faut pas se leurrer, nous touchons à des drames formidables. Il serait quelque peu enfantin de prêcher la sagesse et la modération dans de tels moments. IL FAUDRA UN TEL ÉLAN POUR ATTEINDRE LE BUT, QUE CEUX QUI L'AURONT DÉPASSÉ NE SERONT POINT NÉCESSAIREMENT DES CRIMINELS DEVANT L'HISTOIRE. »

Conversion au roman

Connaissez-vous les romans-concours ? – Leroux s'initie à la littérature romanesque en faisant paraître dans *Le Matin*, du 5 octobre au 22 novembre 1903, un roman-concours, forme littéraire très en vogue au début du XXe siècle. Il s'agissait généralement d'un court roman – le plus souvent d'aventures ou policier –, publié dans les journaux par livraison hebdomadaire de plusieurs chapitres et grâce auquel le lecteur – en répondant à quelques questions au fil de sa lecture – pouvait gagner un petit prix, de l'argent, des bons ou encore de la nourriture. Non seulement le procédé garantissait pour le lecteur un vrai suspense, mais il assurait au journal de voir ses exemplaires achetés chaque semaine en nombre. C'est ainsi que Leroux lança son roman *La Double Vie de Théophraste Longuet,* en proposant un prix de 25 000 francs.

L'histoire est celle d'un fabricant de timbres en caoutchouc qui, peu à peu, découvre qu'il est habité par l'âme de Louis Dominique Cartouche. Personnage historique du XVIIIᵉ siècle, Cartouche fut le chef d'une armée de bandits qui terrorisa longtemps les Parisiens. Après avoir échappé maintes fois à la police, il fut finalement arrêté et emmené en place de Grève – alors grand lieu des exécutions capitales – et roué vif jusqu'à ce que mort s'ensuive. Le pauvre Longuet parcourt un à un les lieux des anciens exploits du brigand, sur la piste d'un trésor caché : c'est alors au lecteur, au fil des indices hebdomadaires, de mener l'enquête à sa place pour empocher le prix. Pour Longuet, l'histoire se termine mal : il finira par revivre dans son propre corps l'arrestation du voleur et les tortures qui l'accompagnèrent…

Le ton de l'œuvre à venir est donné : l'humour se combine avec une terrible cruauté, et le réalisme journalistique avec une invention rêveuse, proche du fantastique.

Sous les feux de la rampe – Pourtant ce coup d'essai dans l'art romanesque est accompli par jeu. À cette époque, tout indique que Gaston Leroux se destinait plutôt au théâtre. Il croyait en son talent d'auteur dramatique, et c'est à cette vocation qu'il prévoyait de consacrer une deuxième carrière littéraire. Il était friand de tout ce qui touchait au théâtre, aussi bien sur la scène que dans la salle : la clarté des lustres, les épaules nues des femmes, le parfum des loges fleuries de gardénias, et le faisceau de relations que nouent entre elles toutes les personnes qui contribuent, par leurs savoir-faire complémentaires, à la production d'un spectacle.

Gaston Leroux le journaliste, en plein reportage pour *Le Matin*.

Cette passion pour les jeux de miroirs, où le monde et la scène finissent par se confondre, rapproche étroitement Gaston Leroux de grands auteurs romantiques, comme Alexandre Dumas (celui, en particulier, de *La Femme au collier de velours*) et Théophile Gautier (dont *Le Capitaine Fracasse* date de 1863) : il exploitera ce thème de façon exemplaire dans *Le Fantôme de l'Opéra* (1910). Mais quand, en janvier 1907, il donne au théâtre de l'Odéon une pièce intitulée *La Maison des juges*, à laquelle il a longtemps travaillé et qui paraît étroitement inspirée par sa connaissance du monde judiciaire, c'est un échec. En avril de la même année, il se brouille avec le directeur du journal *Le Matin*, ce qui l'incite à choisir une autre profession. À défaut d'être homme de théâtre, il sera romancier.

L'accomplissement littéraire – Gaston Leroux est joueur : il aime à relever tous les défis, et la partie qu'il engage alors s'annonce décisive. De septembre à novembre 1907, *Le Mystère de la chambre jaune* paraît dans le supplément littéraire de *L'Illustration*. Le roman tourne autour d'un problème de « huis clos » : l'intrigue se déroule entre les murs d'une seule pièce dont on ne peut ni entrer ni sortir. Le crime a été commis dans une chambre fermée de l'intérieur – « pas de double fond ! Aucune issue ! » –, alors que la victime était seule. L'auteur pose une condition supplémentaire pour la résolution du mystère : il a été impossible à l'assassin, « pour s'échapper, d'enfoncer un mur, une porte, une fenêtre, le plancher, le plafond ». Leroux place donc la barre très haut, en se mesurant sur le terrain de l'énigme policière à ses illustres prédécesseurs – Edgar Allan Poe et Arthur Conan Doyle : il assure même aux lecteurs que sa fiction sera bien meilleure encore que les leurs. Cette drôle d'affaire est confiée à un certain Joseph Rouletabille, premier reporter-détective, qui fait très vite des émules dans les littératures étrangères, en s'imposant comme un personnage clé de ce genre de romans. La réussite de l'entreprise suffira à rendre l'auteur immédiatement célèbre.

Désormais, le voici sur les rails. En vingt ans, Gaston Leroux produit une œuvre importante et éclectique, se composant pour une grande part de romans mais également d'ouvrages cinématographiques.

La tentation du cinéma

Adapter, écrire, produire – Leroux réside à Nice à partir de 1909. Cette ville ne tardera pas à devenir un haut lieu de l'industrie cinématographique naissante, et le feuilletoniste, qui se déplace beaucoup entre Paris et la Côte d'Azur, se passionne pour l'aventure. En 1913, Victorin Jassin tourne l'un de ses romans, *Balaoo*, de même que Maurice Tourneur, qui choisit d'adapter *Le Mystère de la chambre jaune*. Le cinéma, nouveau procédé d'expression artistique, puise abondamment chez l'écrivain, repérant dans son œuvre des éléments facilement transposables à l'écran. Mais Gaston Leroux ne se satisfait pas de rester extérieur à ce monde de l'image, simple consultant des réalisateurs : il se prend au jeu. En 1916, il signe le scénario du film tiré de son propre roman, *L'Homme qui revient de loin*, que réalise René Navarre, puis celui de *La Nouvelle Aurore*, feuilleton filmique en seize épisodes de trente minutes chacun, ayant pour héros Chéri-Bibi, que le même René Navarre produit et tourne à Nice en 1918.

La sortie du film, qui a lieu à Paris le 25 avril 1919, coïncide avec la publication d'une version romanesque proposée en feuilleton dans *Le Matin* sous le titre : *Les Nouvelles Aventures de Chéri-Bibi*. Le succès est tel que la Société des Cinéromans est fondée à Nice en septembre 1919 avec, comme l'un des principaux actionnaires, Gaston Leroux lui-même. L'événement marque la naissance officielle des Studios de la Victorine, qui deviendront un centre de production cinématographique assez important pour mériter le titre d'« Hollywood niçois ».

Doué pour l'image – Ainsi, l'œuvre de Leroux relie-t-elle de manière étrange et lumineuse le théâtre, dont elle s'inspire, et le cinéma, dont elle prépare et nourrit l'invention. Cela revient à dire que le roman apparaît, grâce à lui, comme un autre dispositif de spectacle. Ses textes ne valent pas uniquement pour leurs qualités d'écriture. Gaston Leroux met d'abord son talent au service de la construction de paysages imaginaires. On croirait qu'il voit comme à travers une vitre les scènes qui s'y déroulent, et qu'il s'efforce ensuite de les dépeindre en recherchant moins l'élégance de la forme que la puissance expressive.

Un expressionnisme littéraire

Le rêve en accord avec le réel – La magie de son univers onirique se matérialise en des formules que l'auteur note souvent en caractères italiques, et dont la puissance évocatoire paraît inépuisable. Dans *Le Mystère de la chambre jaune*, Rouletabille entend, un soir, dans les jardins de l'Élysée, une phrase dont il ne comprend pas le sens mais qu'il répétera à plusieurs reprises :

« *Le presbytère n'a rien perdu de son charme, ni le jardin de son éclat.* »

La valeur talismanique de la phrase tient au fait qu'elle est la clé d'une double énigme : celle que le détective s'emploie à éclaircir, dans une affaire qui paraît tout extérieure à sa vie, et, par ailleurs, celle de sa propre naissance. D'où vient en effet ce garçon transparent comme le verre, mais qui semble destiné à

11

rouler sans s'attacher à rien, lui qui ignore jusqu'au nom de celle qui lui a donné le jour ?

L'exacerbation des sentiments – Les récits de Gaston Leroux nous retiennent par les couleurs sombres et les lignes tourmentées des tableaux qu'ils décrivent, les situations à la fois cruelles et risibles dans lesquelles leurs personnages nous entraînent. Ils se rattachent de cette manière au mouvement expressionniste qui, au début du XXe siècle, traverse tous les arts et qui marque puissamment l'esthétique du cinéma à ses débuts. Ce mouvement met en avant la représentation du monde extérieur et des sentiments par une expressivité poussée jusqu'à l'extrême, une exaltation sans limites, usant de tous les effets de contrastes possibles. L'écriture y est intense et violente, et décrit le désespoir, la névrose, l'obscur comme la passion, la joie, l'héroïsme. Tout est poussé jusqu'à son paroxysme, avec comme but premier la transcription d'une émotion brute.

Susciter un spectacle intérieur – Ainsi les images que suscite dans notre esprit la prose de Leroux ne nous sont pas imposées de l'extérieur, comme le sont celles du cinéma. Le lecteur ne les reçoit pas toutes faites, il doit les composer, les éclairer lui-même, en fonction des multiples éléments que l'auteur lui fournit. Chaque parcours de l'œuvre consiste à produire un spectacle intérieur que le lecteur sera libre, ensuite, d'aller confronter à ceux des chorégraphes, compositeurs, cinéastes célèbres que l'œuvre du feuilletoniste a inspirés. Nul romancier ne creuse ni ne construit comme lui dans l'imaginaire de ceux qui le lisent. Nul ne fait appel comme lui à notre propre talent.

La veine fantastique

L'après Rouletabille – Que faire après *Le Mystère de la chambre*

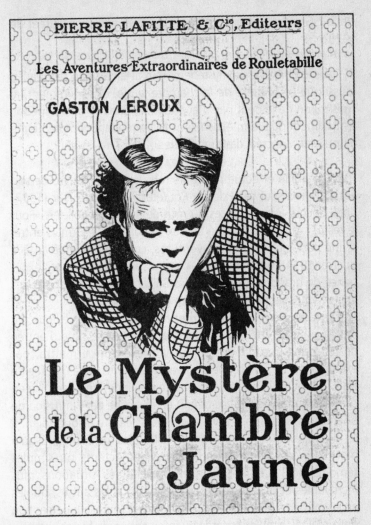

Regardez cette publicité pour *Le Mystère de la chambre jaune*. D'après ce que vous savez du roman, l'affiche vous semble-t-elle explicite ? Quels détails vous frappent ?

jaune ? Gaston Leroux s'interroge dans un entretien datant de 1925 :

« Dans le domaine du mystérieux, je n'ai jamais rien fait d'aussi réussi que *Le Mystère de la chambre jaune*, et sincèrement, je crois qu'on ne le peut pas. J'ai atteint là, dans ce genre spécial, le maximum que je m'étais fixé… M'en rendant compte, je me renouvelai… je créai d'autres figures… »

Rouletabille effectue plusieurs retours dans l'œuvre de son auteur, mais seul sans doute *Rouletabille chez le Tsar* (1912) obéit encore aux exigences du récit de détection policière. Pour le reste, l'œuvre de Gaston Leroux se partage désormais entre, d'une part, des romans d'aventures, comme *Rouletabille à la guerre* (1914), qui paraît largement inspiré par sa propre expérience de grand reporter dans les Balkans, et, d'autre part, des récits teintés de fantastique, voire de merveilleux.

Le fantastique n'est pas le merveilleux – Le merveilleux, en tant que genre littéraire, suppose que le récit se situe d'entrée de jeu dans une dimension surnaturelle qui permettra, par exemple, au loup de converser avec une fillette, ou à une fée de transformer, d'un coup de baguette magique, une citrouille en carrosse. Le fantastique se définit en revanche par l'intrusion de phénomènes étranges dans un univers réaliste et quotidien. Il tend à faire douter les personnages les plus incrédules, jusqu'à mettre en défaut le lecteur lui-même. Acteurs ou simples témoins de l'action, tous font face à des situations plus incroyables et plus terrifiantes les unes que les autres, qui les amènent peu à peu à remettre en question toute leur perception de la réalité : simples hasards ou intervention de forces surnaturelles, plus personne ne sait que penser.

Un genre nouveau : l'aventure fantastique – Mais l'image romanesque ignore les frontières des genres, et c'est d'abord à elle que Gaston Leroux est attaché. S'il renonce assez tôt au récit à énigme pour osciller, le restant de sa carrière, entre le roman-feuilleton d'aventures policières et le conte fantastique, c'est pour deux raisons précises. D'abord, nous l'avons vu, parce qu'il lui semble impossible de faire mieux que *Le Mystère de la chambre jaune*. Mais aussi parce qu'il prend conscience de la facilité et de l'intérêt romanesque de réunir en un seul récit ces deux formes littéraires, finalement plus proches qu'il ne le pensait. Il est d'ailleurs remarquable que, depuis la mort de l'auteur en 1927, les littératures policière et fantastique se soient développées avec des succès comparables, qu'elles aient inspiré ensemble les industries cinématographiques et télévisuelles, qu'ensemble elles aient achevé de conquérir la planète, dont on dirait qu'elles se partagent le territoire, à la manière de deux bandes rivales et complices.

Une fiction trans-européenne

Un pacte de lecture... – Des romans policiers, comme *Le Chien des Baskerville* d'Arthur Conan Doyle, ou *Le Mystère de la chambre jaune* de Leroux, provoquent une forme de délicieux vertige quant au degré de réalité de ce qui est donné à «voir», c'est-à-dire des images romanesques que le récit suscite dans l'esprit du lecteur. Plus d'une fois dans ce type de fiction, il arrivera que l'auteur nous fasse douter de la nature, humaine, animale, ou pire encore, de celle de l'agresseur. Mais la logique du genre exige que l'énigme soit expliquée de façon complète et rationnelle dans les toutes dernières pages. Le parcours de l'œuvre s'effectue donc à l'abri d'un contrat noué entre l'auteur et son public, immuable et raisonnable.

Histoire et culture au temps de Leroux

	Histoire	Culture	Vie et œuvre de Gaston Leroux
1868			6 mai : Naissance à Paris de Gaston Leroux.
1870	Guerre franco-allemande. Défaite de Sedan. Naissance de la IIIe République.	Mort d'Alexandre Dumas. Verne, *Vingt Mille Lieues sous les mers*.	
1871	Armistice avec l'Allemagne. Commune de Paris.	Naissance de Marcel Proust.	
1879	Présidence de Jules Grévy.	Stevenson, *L'Île au trésor*.	
1880	Lois Ferry sur l'enseignement.	Rodin, *Le Penseur*.	Pensionnaire au collège d'Eu (Seine-Maritime).
1884	Construction du premier gratte-ciel à Chicago.	Ouverture du Salon des Indépendants.	
1885	Pasteur inocule le premier vaccin contre la rage.	Zola, *Germinal*.	
1886		Stevenson, *Le Cas étrange du Dr Jekyll et de Mr Hyde*.	Il obtient le baccalauréat ès lettres et s'installe à Paris.
1889	Exposition universelle à Paris. Inauguration de la tour Eiffel.		Il obtient sa licence de droit.
1890		Zola, *La Bête humaine*.	Il prête le serment d'avocat.
1891	Encyclique *Rerum novarum*. Incidents de Fourmies.	Wilde, *Le Portrait de Dorian Gray*.	Fait la connaissance de Robert Charvay, responsable des échos du quotidien *L'Écho de Paris*, et devient son secrétaire.
1892	Convention militaire franco-russe.	Verne, *Le Château des Carpathes*.	
1894	Sadi Carnot est assassiné par l'anarchiste Caserio.		Rend compte du procès de l'anarchiste Auguste Vaillant pour le journal *Paris*.
1895	Congrès constitutif de la CGT à Limoges.	Première projection publique du cinématographe Lumière. Stoker, *Dracula*.	Il obtient une interview du duc Philippe d'Orléans, prétendant à la couronne de France.
1897		Pierre et Marie Curie découvrent le radium.	Il accompagne le président Félix Faure en Russie.
1898	Émile Zola : « J'accuse » défend le capitaine Dreyfus.		
1900	Paris : Exposition universelle. Inauguration du métro.	Freud, *L'Interprétation des rêves*.	
1901		Ravel, *Jeux d'eau*.	Il devient grand reporter du *Matin*.
1902	Formation du parti socialiste de France.	Conan Doyle, *Le Chien des Baskerville*.	Il est nommé chevalier de la Légion d'honneur.

1903	Premier Tour de France. Premier numéro de *L'Humanité*.	Lavisse, *Histoire de France*.	*La Double vie de Théophraste Longuet.*
1904			Va à Madère à la rencontre de l'expédition Nordenskjöld, retour du Pôle sud.
1905	Soulèvements révolutionnaires en Russie. 9 décembre : loi sur la Séparation de l'Église et de l'État. Crise de Tanger.	Mort de Jules Verne. Einstein : travaux sur la théorie de la relativité. Leblanc, *Les Aventures d'Arsène Lupin*.	Février : Avec Jeanne Cayatte, il part pour la Russie qu'il va parcourir pendant un an. 31 juillet : Naissance à Saint-Pétersbourg de son fils André-Gaston, surnommé Miki.
1907	Grève des ouvriers électriciens à Paris.	Picasso, *Les Demoiselles d'Avignon*.	*Le Mystère de la chambre jaune.*
1908	Arrestation des secrétaires de la CGT.		Naissance de sa fille Madeleine. *Le Parfum de la dame en noir. Le Roi Mystère.*
1909	Louis Blériot traverse la Manche en avion.	Matisse, *La Danse*. Diaghilev, Les Ballets russes au Châtelet.	S'installe à Nice, sur le Mont-Boron. *Le Fauteuil hanté.*
1910	Loi sur les retraites ouvrières et paysannes.		*Le Fantôme de l'Opéra. La Reine du Sabbat.*
1911	Convention franco-allemande.	Souvestre et Allain, *Fantômas*.	*Balaoo.*
1912		Claudel, *L'Annonce faite à Marie*.	*Rouletabille chez le Tsar.*
1913	Raymond Poincaré est élu président de la République.	Alain-Fournier, *Le Grand Meaulnes*. Proust, *Du côté de chez Swann*.	*Balaoo*, film de Jasset. Parution des premières aventures de Chéri-Bibi.
1914	Début de la Première Guerre mondiale.	Feuillade, *Fantômas*.	*Rouletabille à la guerre.*
1915	Torpillage du *Lusitania*.	Kafka, *La Métamorphose*.	Premier roman « de guerre », *Confitou*.
1917	En Russie, révolution d'octobre.		*L'Homme qui revient de loin.*
1918	Fin de la Première Guerre mondiale.	Proust, *À l'ombre des jeunes filles en fleurs*.	*La Nouvelle Aurore*, film de Violet sur un scénario de G.L.
1919	Début du Bloc national.	Breton et Soupault, *Les Champs magnétiques*.	S'installe au Palais Étoile du Nord à Nice. Création de la société anonyme des Cinéromans.
1920	Congrès de Tours, formation du PCF.		**Le Cœur cambriolé.** *Tue-la-Mort*, film de Navarre (scénario de Leroux) G.L.
1922	Exécution de Landru.	Mort de Marcel Proust. Rilke, *Les Élégies de Duino*.	*Rouletabille chez les Bohémiens.*
1923	Crise de la Ruhr.		*La Poupée sanglante.*
1924	Reconnaissance de l'Union soviétique par la France. Début du Cartel des gauches.	Breton, *La Révolution surréaliste*.	*Les Ténébreuses.*
1925	Suppression de l'ambassade de France au Vatican.	Chaplin, *La Ruée vers l'or*. Kafka, *Le Procès*.	*La Mansarde en or. The Phantom of the Opera* (USA), film de Julian d'après Leroux.
1927		Bergson, Prix Nobel de littérature.	15 avril : Mort de Gaston Leroux, à Nice.

... dont Leroux s'échappe – L'écrivain, artisan virtuose de l'imaginaire, n'accepte pas cette victoire absolue et préétablie de la raison. Cette condition n'est pour lui qu'une entrave à son travail de créateur. Il ne tarde donc pas à s'affranchir de ces contraintes, reniant dans une certaine mesure le goût français, qui selon lui privilégie trop la concision et la transparence du style littéraire. Leroux va s'inspirer d'autres paysages mentaux, d'autres traditions artistiques : russes, germaniques, tziganes, balkaniques, qui chamarrent son style de violentes bigarrures. Ce sont elles qui font de *La Reine du Sabbat* (1910) une œuvre tout à fait à part dans l'histoire du roman français, l'un des sommets sans doute de la tradition feuilletonesque, avec *Le Comte de Monte-Cristo* (1844) d'Alexandre Dumas.

Le Cœur cambriolé (1920), de proportions plus modestes, suit la droite ligne de ses romans précédents. En installant la Normandie à mi-chemin de la Grande-Bretagne et de l'Italie, il nous fait la peinture de personnages appartenant à des mondes très différents, celui du théâtre de boulevard pour Hector ou bien celui de la littérature fantastique pour Patrick, mais qui parviennent à se confronter dans un univers parallèle qui paraît échapper aujourd'hui encore à toute définition. Un mélange intrigant pour une œuvre qui ne l'est pas moins.

Le cœur cambriolé

Mes fiançailles avec Cordélia

Nos parents nous avaient fiancés dès notre plus jeune âge. Quand j'avais douze ans et qu'elle en avait huit, on disait déjà, autour de nous, que nous formions un couple charmant, et nos mères nous admiraient. Nous aurions voulu nous marier tout de suite, tant nous nous aimions. Nous étions cousins germains et nos familles nous réunissaient pendant les vacances. À cette époque, Cordélia m'avait déjà donné son cœur, son petit cœur de huit ans.

Moi, j'étais un très grand garçon pour mon âge, d'un blond presque roux, très fort, enragé de sport, paresseux à l'étude. La vie au grand air était la seule qui me convînt. J'en avais donné le goût à Cordélia, qui avait plutôt un penchant pour la lecture et les arts. Sa mère était italienne. Mon oncle l'avait épousée au cours d'un voyage d'affaires qu'il avait fait à Turin. À huit ans, Cordélia était déjà bonne musicienne, mais elle nous étonnait surtout par sa facilité à dessiner ou à peindre ce qui la frappait ou l'intéressait. Pour moi tout ce qui sortait des mains de Cordélia me paraissait un miracle.

Je ne l'en aimais que davantage et je ne lui marchandais pas mon admiration. C'est moi qui lui appris à monter à cheval. Elle était intrépide. Quelquefois, elle me faisait peur, mais je n'avais qu'à la suivre : elle faisait de moi tout ce qu'elle voulait. Je n'ai jamais été un rêveur ; soudain elle me dit : « Rêvons !… » et je faisais à côté d'elle le rêveur, c'est-à-dire que je me taisais. Puis elle me regardait d'un drôle d'air et éclatait de rire en me disant : « Embrasse-moi ! » Je voulais l'embrasser, elle se sauvait.

On s'est amusé comme cela jusqu'à mes dix-neuf ans. J'étais devenu un grand gaillard avec des taches de rousseur. Elle me trouvait le plus beau des hommes. Elle m'a toujours trouvé le plus beau des hommes. Quant à elle, elle était devenue quelque chose d'ineffable. Sa finesse de petite fille mutine présentait, maintenant, une ligne idéale pleine de noblesse et d'agrément. Elle n'était ni brune ni blonde ; elle avait une couleur de cheveux bien à elle, que j'appelais de la vapeur de cheveux. Elle avait des yeux verts pailletés d'or, qui changeaient de nuances à chaque instant. La jolie taille !

Elle était souple comme une liane, ainsi que l'on dit couramment, mais point fragile.

Nous continuions à jouer comme des enfants.

Cependant, un jour, nous nous prîmes la main et nous allâmes ainsi, de compagnie, demander à nos parents de nous marier sans plus tarder. Nous avions une folle envie de faire un voyage de noces à cheval. À notre grand désespoir, on ne voulut pas nous écouter. On remit le voyage à cheval à cinq ans de là et l'on me fit partir pour l'Amérique, ce qui me parut une amère dérision et bien cruelle. Puis je fis mon service militaire. Puis l'on me renvoya en Amérique.

Le petit portrait

Mon père, qui était dans les aciers, avait dessein de me prendre dans ses affaires, mais, auparavant, il tenait à ce que je fisse un stage complet dans un de ces Instituts technologiques des États-Unis où l'on est censé apprendre tout ce qui peut être utile à un ouvrier et à un ingénieur, mais où, spécialement et glorieusement, on pratique tous les sports. Je puis dire que j'étais l'orgueil de l'institution, bien que le plus cancre. La boxe, le tennis, le golf, l'équitation, la natation, l'aviron me distrayaient avec violence de la pensée de Cordélia sans m'en détacher jamais.

Je comptais les mois qui me séparaient du bonheur attendu. Entre-temps, mon père et ma mère étaient morts presque en même temps au cours d'une épidémie d'influenza, comme on disait alors. J'accomplissais leur volonté, en ne précipitant point les événements. C'était leur idée que je ne me mariasse point avant que j'eusse atteint mes vingt-quatre ans. Je ne voulais pas les contrarier, surtout après leur mort.

Mon oncle, en ces circonstances cruelles, fut parfait pour moi. Il s'occupa de toutes mes affaires. Je n'eus aucun ennui malgré que mes parents me laissassent une grosse fortune.

Il me demanda si je voulais prendre la suite des affaires de mon père. Je lui répondis que je n'y aurais point manqué si cela avait été nécessaire, mais que, puisque j'étais suffisamment riche pour faire le bonheur de Cordélia et le mien, j'avais décidé de vivre le mieux possible de nos rentes. Il me répliqua que je m'ennuierais si je ne travaillais point. Je lui répondis encore que je m'étais quelquefois ennuyé quand je travaillais, mais jamais quand je ne travaillais point. Mon oncle avait les idées d'un autre âge, qui n'a pas connu tout ce dont la vie d'aujourd'hui est pleine : je veux parler du mouvement, qui donne la santé et la beauté. Un athlète ne s'ennuie pas.

Du reste, le raisonnement que je tiens là, sur le travail, n'est point nécessairement celui d'un « sportsman ». J'ai entendu un homme d'une grande intelligence, un homme de lettres (c'était un romancier qui travaillait dix heures par jour), affirmer qu'il avait horreur du travail, parce que le travail, en absorbant le meilleur de son temps, l'empêchait de *voir la vie*, occupation prodigieuse, spectacle où ne s'ennuient que les imbéciles. Il considérait le travail comme une basse nécessité à laquelle l'humanité avait été condamnée pour on ne sait quel crime et il disait que ceux des humains qui, par un sourire des dieux, en ayant été affranchis, le réclament à nouveau parce qu'ils trouvent les heures trop longues méritent un châtiment éternel.

Et moi, je suis de cet avis et j'ajoute : «S'ils s'ennuient, qu'ils fassent du football, sacrebleu!…»

Enfin, j'atteignis mes vingt-quatre ans et je pris le paquebot pour Le Havre. Je m'imaginais déjà Cordélia m'attendant au bout de la jetée. Il y avait dix-huit mois que je ne l'avais revue. Nous n'avions cessé de nous écrire dans la plus grande liberté. Cependant, dans la dernière période de mon séjour là-bas, j'avais cru m'apercevoir qu'il y avait quelque chose de changé en elle.

Son cœur, certes, était resté le même pour moi, mais sa pensée devenait incertaine, autant dire que je ne comprenais point tout ce qu'elle me mettait dans ses lettres. J'ai dit que Cordélia avait toujours eu du penchant pour les arts et, particulièrement, pour la peinture. Eh bien! c'est à propos d'un petit tableau qu'elle m'avait envoyé (mon portrait fait de mémoire, que je trouvais magnifique) qu'elle m'écrivit des choses extraordinaires, que je qualifiai avec mépris, et sans trop savoir pourquoi, de «déliquescentes», enfin appartenant à un domaine dans lequel on n'avait pas l'habitude de se promener à mon Institut technologique.

Je me disais : Cordélia *pense trop*! Il est temps que j'arrive. Ce que je vais lui faire lâcher ses livres, sa peinture et sa musique! et hop! à cheval! comme dans le bon vieux temps!

Mais revenons à ce petit portrait, à propos de quoi je vais sortir «mes notes»… Certes! je n'ai rien du monsieur qui écrit au jour le jour ses mémoires. Mais je suis très heureux d'avoir toutes ces notes et voici comment elles ont été prises, presque sans que je m'en doute, et comment elles ont été conservées. J'ai beaucoup d'ordre et j'ai toujours tenu un compte exact de mes dépenses. Tous mes petits registres, je les ai encore. Or, le soir, après avoir fait mes comptes de la journée, je restais là devant mon total à rêver de Cordélia et, quelquefois, je ne refermais point le livre sans y avoir consigné quelque pensée à son adresse ou quelques réflexions à propos de sa dernière lettre.

C'était souvent très simple. Ainsi, je lis, sur le compte de la journée du 25 avril 19… (35 dollars, 10 cents… *Chère Cordélia, nous aurons de beaux enfants!*) ou encore quelque chose de plus simple encore… le 30 mai de la même année (25 dollars, 10 pence… *Chère, chère, chère Cordélia!*) Et voici les notes à propos du petit portrait :

J'ai reçu, aujourd'hui, mon portrait, peint par Cordélia. Il est frappant de ressemblance. Rien n'y manque, pas même la marque que j'ai gardée sous le sourcil droit d'une chute malheureuse que je fis sur l'angle d'une marche quand j'avais huit ans. Je perdis alors du sang en abondance et je me rappelle le désespoir de Cordélia qui jouait avec moi. Je suis sûr qu'en retraçant cette petite cicatrice, Cordélia s'est souvenue de cette heure néfaste avec émotion. Chère, chère Cordélia !

Et c'est un mois plus tard que j'inscris la note suivante :

Qu'arrive-t-il ? J'ai reçu une lettre de Cordélia à laquelle je ne comprends rien ! Elle me réclame mon portrait. Elle trouve cette peinture indigne. Je n'ai pas bien saisi si elle estimait qu'elle fût indigne d'elle ou indigne de moi. Enfin, elle prétend que *tout en me ressemblant, cela ne me ressemble pas* !... Quel est ce charabia ?

Et, toujours à propos de ce portrait que je me gardai bien, du reste, de lui renvoyer parce qu'il me plaisait à moi, beaucoup, je lis encore :

Cordélia m'écrit que je devrais comprendre qu'il y a autre chose à mettre dans un portrait que les lignes de la figure, par exemple le *dessin de l'âme* et que, tant que l'on n'a pas dessiné l'âme dans un portrait, on n'a rien dessiné du tout !

Eh bien, non, je ne comprends pas ! Je ne comprends pas comment elle pourrait dessiner mon âme, qui est une chose essentiellement invisible! Si elle veut dire par là qu'il est nécessaire de mettre de la vie dans un visage, je suis de son avis et il suffit pour cela d'un certain point éclatant et bien placé dans l'œil; mais *dessiner l'âme*?... Je vais lui demander des explications...

Je passe quelques autres notes, qui relatent mon étonnement, toujours à propos des lettres de Cordélia qui, du reste, se faisaient de plus en plus rares et de plus en plus courtes. J'ai hâte d'arriver au Havre. M'y voici.

Hélas! Cordélia ne m'attendait pas sur la jetée...

En revanche, un vieux domestique de mon oncle vint au-devant de moi sur le *Titan*, qui est un petit remorqueur faisant le service du pilotage et de la poste et j'appris que Cordélia et son père étaient partis l'avant-veille «pour un voyage pressé à l'étranger».

Bien que très endurci par les sports, je ne pus retenir mes larmes, car cette nouvelle était si inattendue et coïncidait si peu avec mes désirs que j'eus le pressentiment d'un malheur irréparable.

Vascœuil et Hennequeville

Non point que je misse en doute le moins du monde l'amour de Cordélia, mais j'imaginais que mon oncle ne voulait plus de ce mariage et qu'il avait arrangé l'événement pour que je comprisse de moi-même une chose qu'il aurait eu trop de peine à m'exprimer.

– Ils sont partis pour longtemps ? demandai-je d'une voix qui tremblait.

Le vieux Surdon, le domestique, qui n'avait jamais été bavard, me fit comprendre par un signe qu'il n'en savait rien.

– Et où sont-ils allés ?

Un autre signe du même genre que le premier acheva de me désespérer. Cependant, Surdon, sans se presser, sortait une lettre de la poche intérieure de sa veste. Je la lui arrachai des mains ; je décachetai et je lus :

Mon cher neveu, nous sommes dans l'obligation soudaine de partir pour l'étranger. Il s'agit d'une affaire de la plus haute importance, comme tu peux le penser. Nous ferons notre absence aussi courte que possible ; cependant je ne prévois guère que nous puissions être de retour avant deux mois. Nous te ferons parvenir souvent de nos nouvelles par voie indirecte parce que je tiens à ce que tu sois le seul à savoir où nous sommes. Surtout, garde le secret pour tout le monde. Ne t'inquiète de rien : *Cordélia t'aime toujours*. Vous serez mariés avant la fin de l'année… Attends-nous à Vascœuil, où j'envoie mes gens. Surdon t'appartient.

Cette lettre, en même temps qu'elle me rassurait sur les intentions de mon oncle (« Vous serez mariés avant la fin de l'année ») me troublait singulièrement en ce qui concernait Cordélia (« Cordélia t'aime toujours ! »). Est-ce qu'il avait besoin de mettre cela ? Enfin, elle me remplissait d'inquiétude pour beaucoup de raisons. Qu'est-ce que signifiait ce voyage mystérieux, et pourquoi des nouvelles *indirectes* ?… Mais surtout, pourquoi m'envoyait-on à Vascœuil ?…

Tous les ans, mon oncle et Cordélia passaient leur été à Hennequeville, où ils avaient, sur la route de Honfleur, une magnifique propriété, le Clos Normand, qui était une grande machine toute neuve, je veux dire datant d'une quinzaine d'années au plus et où nous trouvions la chose la plus importante du monde : le confort moderne, tandis que Vascœuil, où nous nous rendions une fois l'an, à l'ouverture de la chasse, n'était qu'une grande maison campagnarde qui ne manquait certes point d'allure, mais fort vétuste et où l'on manquait de tout.

Ce manoir m'avait toujours produit un effet des plus bizarres avec ses grands murs pâles, sa tour de coin se mirant dans les eaux froides de la rivière, son immense cour abandonnée, ses communs délabrés et, par-derrière, son parc mal entretenu, dont les allées moussues avaient une odeur de mort.

Les salles intérieures, avec leurs peintures effacées, leurs glaces sans tain, me semblaient être habitées par des ombres que notre visite annuelle dérangeait. Je n'ai jamais cru aux fantômes, mais Vascœuil m'a toujours fâcheusement impressionné.

Chose étrange, Cordélia s'y plaisait assez, y trouvant «de la poésie»; quand j'analyse mes sentiments, je crois pouvoir expliquer ce malaise que Vascœuil me causait, par le fait qu'étant d'une santé robuste et d'un esprit parfaitement sain, je trouvais insupportable tout ce qui, autour de moi, ne se présentait pas avec les mêmes vertus de solidité. Vascœuil n'était pas une chose «bien portante». Cela suffisait à me le faire prendre en grippe.

Que fut-ce lorsque je m'y retrouvai sans Cordélia, avec le vieux Surdon et sa femme Mathilde ?

J'ai dit que Surdon n'avait jamais été bavard, mais Mathilde avait toujours eu la langue bien pendue. Elle nous avait connus tout petits et nous aimait beaucoup ; depuis des années, elle se réjouissait de notre mariage. Je ne fus pas plus tôt arrivé, que, la prenant à l'écart, je lui demandai sans détour tout ce que cela signifiait.

Elle poussa un soupir et se sauva, je courus et la rattrapai par sa jupe. Elle se mit à pleurer :

— Monsieur Hector, me dit-elle, en se mouchant, je vous jure qu'il n'y a rien. C'est une idée du maître d'habiter ici. Il ne nous a pas consultés, bien sûr !

— Eh bien ! si cela lui plaît, qu'il y vienne au lieu de courir l'Europe et de me priver de Cordélia. Quant à moi, je m'en vais !

— Et où donc ?

— À Hennequeville !

Je n'eus pas plus tôt prononcé ces derniers mots que Mathilde montra une agitation extrême.

— Non ! Non ! Il ne faut pas aller à Hennequeville ! Monsieur ne serait pas content ! C'est une idée qu'il a comme ça !

C'était une Rouennaise, du quartier de Darnétal. C'est têtu et madré. Je compris que je n'en tirerais rien. Mais je résolus d'aller à Hennequeville. J'y fus dès le lendemain. J'y arrivai vers six heures du soir.

Mon Dieu ! qui cette campagne me plaisait et que

ce domaine avait d'agrément! Ah! certes! avec la verdure lustrée de ses plantureux herbages, l'encadrement odoriférant de ses haies en fleurs, Hennequeville, n'avait rien de fantomatique… et, cependant, quand j'aperçus tout à coup, au détour du chemin, la maison fermée, mon cœur se remplit d'angoisse. Jamais la belle demeure ne m'avait accueilli avec un pareil visage de bois. Quelle étrange impression je reçus de ses persiennes closes et de ses portes verrouillées!…

Combien j'étais loin de l'accueil de jadis! Où étaient-ils les rires et les baisers de Cordélia sur ce seuil chéri? Aucun écho d'autrefois. La maison ne me connaissait plus. J'appesantis mon front sur la grille et je restai là des moments que je ne saurais mesurer, en proie à la plus sombre mélancolie.

Le soir était tombé sur ces entrefaites et quand je relevai la tête, je ne fus pas peu étonné d'apercevoir à quelques pas de moi une ombre qui eût pu me paraître être mon ombre tant son geste reproduisait le mien, Elle aussi poussa un soupir. J'en fus comme saisi d'effroi….

Mais mon étonnement ne fit que grandir quand j'entendis cette ombre exprimer tout haut ce que je ressentais tout bas; en des termes que je ne saurais reproduire exactement, mais qui traduisaient admirablement ma pensée, l'ombre expliquait qu'il était impossible *à une âme* douée de quelque sensibilité de passer devant ce joli domaine sans s'y arrêter, au moins le temps de regretter que toute la vie d'élégance et de plaisir pour laquelle il avait été créé parût s'en être enfuie pour toujours.

À quoi, un peu interloqué, je répondis, en me mentant à moi-même (car, je le répète, mon impression avait été la même que celle de l'ombre)… je répondis qu'il n'y avait aucune raison pour que cette demeure, momentanément close, ne se rouvrît point quelque jour et ne se remplît à nouveau de bruits joyeux… Mais l'ombre poussa encore un soupir, secoua la tête, prononça un mot qui me fit frissonner : *Jamais*!… et, glissant derrière le mur, disparut…

Je quittai ces lieux, plus triste que je n'y étais venu. Cette singulière rencontre avec un étranger qui paraissait animé d'une émotion étrangement sœur de la mienne m'avait bouleversé à un point dont je ne me rendis point compte tout d'abord ; mais, en descendant la côte qui me ramenait dans la vallée de la Touques, je crus reconnaître devant moi l'ombre qui avait parlé tout haut à mes côtés et je me mis à courir pour la rattraper.

Je la rejoignis devant un cabaret dont la porte entrouverte laissait passer une bien pauvre lumière, suffisante cependant pour que je pusse distinguer quelques traits du personnage qui se retourna à mon approche. Ce qui me frappa tout de suite en lui, en dehors de sa beauté certaine, ce furent ses yeux, ou plutôt leur éclat. Ils paraissaient brûler dans la nuit.

Il n'y a que certains yeux d'albinos pour m'avoir produit un effet approchant ou encore les yeux des chats qui distinguent, la nuit, des choses que nous n'apercevons point. L'homme était sorti de la lumière, que je voyais encore ses yeux brûler sur la route.

Je voulus lui parler, *mais je n'en eus point la force.*

Je restai là, comme étourdi, pendant qu'il s'éloignait. L'air frais du large vint, heureusement, me balayer le front. Quelqu'un me parla. C'était le cabaretier. J'entrai chez lui. Je lui demandai s'il connaissait l'homme qui venait de passer devant sa porte. Il me répondit que c'était un peintre célèbre en Angleterre et que l'on disait de lui, dans ce pays-ci, qu'il était un peu toqué.

4

Le mariage d'Hector et de Cordélia

Quand je revins à Vascœuil, une lettre m'y attendait. Elle venait de Paris et je ne connaissais point l'écriture de la suscription. Dans l'enveloppe, je trouvai un mot de mon oncle, qui m'écrivait à la hâte du fond du Tyrol.

Le Tyrol! On ne va point dans le Tyrol pour affaires!

Quelle raison avait-il de se promener dans le Tyrol avec Cordélia pendant que je les attendais dans cette triste maison? Il ne m'en disait rien. Il me donnait une adresse:

Écris-nous le plus souvent possible, me disait-il, écris-nous tous les jours. En attendant notre retour, je vais te donner de quoi t'occuper. Tu vas remettre Vascœuil à neuf avec tout le confort moderne. Je m'en rapporte à toi. Meuble-le comme il te plaira. Il vous appartient à Cordélia et à toi. Je le dépose dans la corbeille de noces. C'est à

Vascœuil que vous vous marierez. Je sais que la propriété ne t'a jamais beaucoup séduit! Fais en sorte qu'elle te plaise. Mais ne touche pas au parc. Ce sera l'affaire de Cordélia. Elle a des idées là-dessus. Nous t'embrassons fort.

Et pas un mot de la main de ma fiancée! Pourquoi ne m'écrivait-elle pas? Est-ce qu'elle ne m'aimait plus? *Depuis le voyage à Hennequeville, sans savoir exactement pourquoi, je ne cessais de me poser cette horrible question.*

J'écrivis là-dessus à mon oncle et l'entretins de mon inquiétude.

Je lui déclarai que j'étais incapable de m'occuper de quoi que ce fût au monde avant de savoir à quoi m'en tenir sur l'amour de Cordélia et que je ne pourrais être tranquillisé que par elle-même.

Je restai quinze jours sans réponse. Je passai ces deux semaines comme une brute à attendre le facteur… Je faisais pitié à Surdon et à sa femme qui essayaient par instants de me raisonner et que je n'entendais même point. Enfin, la lettre arriva. Toujours l'enveloppe de Paris. Comme je l'arrachai!

Une lettre de Cordélia… c'est-à-dire une ligne…

Mais oui, je t'aime toujours, mon bon Hector!… Je n'ai jamais cessé de t'aimer… En voilà des idées!… Deviens-tu fou?… À bientôt, mon cher mari!

Eh bien! voilà une lettre qui ne me contenta point du tout... «Je t'aime toujours mon bon Hector» me paraissait comme une sorte d'emplâtre sur ma douleur; ce n'était point ce que je demandais. Et même «À bientôt, mon cher mari» ne me réchauffait nullement.

J'écrivis à Cordélia toute ma détresse. Sur mon papier, je pleurai comme un gosse en lui rappelant nos serments et je l'assurai que je préférais mourir de désespoir que de conduire à l'autel une Cordélia qui ne m'aimât plus autant que dans ce moment-là.

Alors, oh! alors, quelques jours plus tard, je reçus huit pages de Cordélia... huit grandes pages qui, cette fois, me firent pleurer de bonheur. J'y trouvai ma petite compagne d'autrefois avec toute sa fraîcheur, sa spontanéité, sa joie de vivre à mes côtés, ses malices adorables. Elle semblait s'être replongée dans le passé avec une frénésie qu'elle voulait me faire partager. Elle n'y eut point de mal.

Et puis, brusquement, après d'aussi chers souvenirs, elle parla du présent avec une confiance qui me rendit sur l'heure ma belle santé physique et morale. Elle se promettait des joies enfantines de notre mariage. Elle me parlait de notre installation à Vascœuil avec des détails qui me le firent subitement aimer. Elle me disait :

Tu verras comme Vascœuil sera joli quand nous l'aurons arrangé à notre goût tous les deux. Tu vas courir à

Paris et tu achèteras tout ce que je vais te dire (ici la liste des achats). Il faut que tout soit prêt à notre retour, car papa veut nous marier tout de suite. Ce n'est pas moi qui le contrarierai. Ah! pendant que j'y pense : ne touche pas au parc; tu ne l'as jamais compris. Il a sa beauté particulière que je me réserve de mettre en valeur. J'en ferai le jardin de Pelléas et de Mélisande. Nous nous y promènerons dans nos heures de mélancolie, car on a beau être heureux, on a des heures de mélancolie, ce qui n'est, du reste, pas désagréable du tout. En attendant ces moments-là, je voudrais que nous fassions notre voyage de noces à cheval, comme deux fous. Tu te rappelles que nous avions rêvé d'un voyage pareil quand nous étions tout petits et que nous nous moquions des bourgeois qui prenaient le train! Mais tu verras que nous prendrons le train comme tout le monde… Qu'est-ce que cela fait si, au bout du train, il y a une gondole? Nous irons à Venise. Ça, ça a toujours été entendu. Le Tyrol est affreux. Il n'y a là que des montagnes et je déteste les montagnes, surtout quand elles me séparent de toi!

Et, pendant huit pages, cela continuait ainsi. Chère, chère, chère Cordélia! Comment pouvais-je douter de toi! de ton cher petit cœur, de ton cher petit cœur!… Vite! vite! à l'ouvrage! À moi les maçons, les peintres, et «tout le tremblement!» comme dit mon oncle.

J'activai le zèle de tous par ma bonne humeur et mes largesses. J'étais fait moi-même comme un gâcheur de plâtre, et Surdon en riait silencieusement quand il me tendait la bolée de cidre doré que j'avalais d'un trait pour montrer aux autres que l'on pouvait faire honneur aux brocs.

J'avais bien fait de me presser. Mon oncle et Cordélia arrivèrent huit jours plus tôt qu'ils ne l'avaient annoncé. Je les attendais vers le 8 octobre et ils débarquèrent à Vascœuil fin septembre. Tout n'était pas fini.

Cordélia me trouva au haut d'une échelle, posant le papier de son boudoir. Je tombai dans ses bras. Elle me supporta très bien en disant : «Dieu, qu'il est laid ! » J'eus un mouvement qui déchaîna son rire. J'avais cru qu'elle parlait de moi et il ne s'agissait que du papier. Il n'en fallut pas davantage pour nous mettre dans une gaieté qui attira mon oncle.

Il nous bénit, nous embrassa, nous rembrassa, nous rebénit, nous conta qu'il s'était marié lui-même dans cette maison, que Cordélia y était née, que nos enfants y naîtraient et nos petits-enfants aussi. À quoi Cordélia, qui ne l'écoutait pas, répliquait :

– Dieu ! que ça sent bon la peinture ici !... Tiens, vois-tu, papa, maintenant je ne veux plus faire que de la peinture en bâtiment ! Qu'est-ce que tu en dis ?

– Je t'approuve, ma fille ! Ah ! comme je t'approuve ! *Voilà qui* est *sain !*

J'étais un peu étonné de l'entendre parler ainsi. J'avais toujours entendu dire que la santé des peintres en bâtiment courait de grands dangers à cause, je crois, de la céruse… et je présentai l'objection à mon oncle qui me donna une bonne tape dans le dos pour toute réponse.

Quelques instants plus tard, il me disait avec un bon sourire : «Tu es toujours le meilleur des Hector… ne change jamais! » Je ne savais pas pourquoi il me disait cela, car je n'avais pas l'intention de changer… et puis en y réfléchissant, j'ai compris depuis qu'il devait trouver en moi une simplicité qui lui plaisait, un esprit tranquille et pondéré qui ne cherche point, comme on dit «midi à quatorze heures» et qu'il me conseillait, pour notre bonheur à tous, d'en rester là.

Les trois semaines qui suivirent passèrent vite et d'une façon si heureuse que je me les rappelle comme étant les meilleures de ma vie. J'avais chassé de mon esprit toute préoccupation qui n'avait point de rapport avec les plaisirs de la journée, lesquels se résumaient pour Cordélia et pour moi à faire enrager tout le monde, à nous cacher derrière les portes, à nous poursuivre comme des écoliers et à nous embrasser, si bien que Cordélia toute rouge, m'écartait gentiment en me disant : «Hector… laisses-en… laisses-en pour demain! »

Chère, chère, chère Cordélia!

Quand elle était arrivée, je l'avais trouvée un peu pâlotte, surmenée sans doute par le voyage… maintenant, elle avait repris de belles couleurs. Elle était toujours aussi fine, mais je voyais bien qu'aucune des beautés naturelles de la femme ne lui manquait. Je ne saurais comment vous dire cela : pour moi, il n'y avait jamais eu de plus belle femme sur la terre et mon avis n'a point changé là-dessus. Son esprit et son corps, tout était divin. Je ne saurais en dire davantage.

Enfin, le grand jour arriva. Ce fut une cérémonie admirable dont on parla longtemps à Vascœuil. Le père de Cordélia, qui était un grand propriétaire terrien, avait invité tout le département à la mode de son temps ; je veux dire que tous les châteaux des environs étaient représentés à la noce. Il y avait là de grands noms et de grosses fortunes. Tout ce monde fut traité avec magnificence.

Mon oncle eût voulu que la fête durât trois jours, mais il céda aux instances de Cordélia qui déclara que si tous les invités n'étaient point partis à six heures du soir, nous nous en irions. Le déjeuner fut, selon le désir de Cordélia, appelé lunch, mais quel lunch !

Tout ceci, du reste, n'était rien en comparaison de ce qui se passait à cinq cents mètres de là, chez le principal fermier de mon oncle. On avait dressé des tentes dans un immense clos et, là-dessous, toute la paysannerie se comportait puissamment, comme aux noces de Gamache. Cordélia fit gentiment le tour des tables, sans montrer aucun écœurement de cette mangeaille, ce qui me plut beaucoup ; je la suivais comme un toutou. Chacun disait autour de nous : « Ils ne sont pas fiers ! Qu'ils soient heureux ! »

Le cadeau inattendu

Rentrés au château, nous retrouvâmes tout notre monde en extase dans la salle où l'on avait exposé les cadeaux. Dieu sait s'il y en avait !

C'est dans ce moment que le vieux Surdon apparut, portant difficilement un grand paquet plat tout enveloppé de toiles et sur lequel on avait épinglé un petit carré de carton où l'on pouvait lire exactement ceci : «Mon cadeau *pour le panier* de noces…» Il n'y avait pas de signature.

Déjà plusieurs invités avaient lu et s'amusaient du «panier» de noces. Ces rires attirèrent notre attention. Mon oncle, Cordélia et moi, nous nous approchâmes, dans le moment que des voix impatientes parlaient déjà d'une surprise et demandaient à la voir tout de suite.

Mon oncle, après avoir lu, releva la tête, très pâle, et regarda Cordélia qui, elle aussi, avait lu. Elle était devenue toute rouge. Cependant, elle ne se troubla point devant le regard de son père et elle sourit même en disant : «C'est bien de lui ; il emploie souvent un mot pour l'autre ; quelquefois même, il le fait avec intention, ça l'amuse. Et puis, c'est son écriture ! »

Pour moi, tout ceci était une énigme. La pâleur du père, la rougeur de la fille, les mots qu'ils échangeaient, tout commençait à m'inquiéter.

– On pourrait voir ce que c'est ! fis-je en montrant le paquet apporté par Surdon.

– À quoi bon ? dit mon oncle ; nous verrons cela plus tard !

Quant à Cordélia, elle s'en était allée dans une autre salle.

Alors, je fus pris d'une grande curiosité et j'ouvris le paquet moi-même. Quand les toiles qui l'enfermaient furent tombées, je ne pus retenir un cri d'admiration et tous ceux qui étaient autour de moi poussèrent des soupirs d'extase.

C'était un portrait... celui de Cordélia... mais quel portrait !...

C'était une image d'un rayonnement merveilleux... Elle semblait peinte avec la plus douce des lumières... Il était absolument impossible de comprendre par quel sortilège de la couleur, un être humain, qui ne dispose que de ses pinceaux et de ce qu'il trouve dans ses tubes de plomb, était arrivé à fixer sur la toile une figure aussi idéale.

Je n'avais jamais rien vu qui pût me faire soupçonner un art pareil. J'ai cependant eu l'occasion de traverser, avec le tout Paris qui s'en amusait, une ou deux expositions de peintures qui s'affirmaient nouvelles et prétendaient à révolutionner l'art. Il y avait là de grandes choses symboliques ou encore des dessins de fantômes : une grande farce, quoi ! Je dis les choses tout de go ; tant pis pour ceux qui peuvent s'en froisser. Généralement, ces figures s'enveloppaient d'un nuage savant derrière quoi brillait une lueur bizarre et incertaine.

Mais ici, comprenez bien le miracle… C'était la figure elle-même qui était peinte avec des rayons et qui rayonnait d'elle-même sans aucun truc intermédiaire.

L'artiste avait réussi à faire voir à l'œil de chair ce que celui-ci ne perçoit généralement point, c'est-à-dire *la lumière invisible que le corps rayonne autour de lui*… Je puis parler de ces choses, maintenant que j'ai acquis la plus cruelle et la plus redoutable expérience dans ce domaine, mais alors je sentais tout cela sans m'en rendre bien compte et il m'eût été difficile de préciser ma pensée avec des mots que j'ignorais.

Bref, dans ce fulgurant portrait, il semblait que

l'âme de Cordélia venait vous saluer tout d'abord avec un sourire céleste qui précédait ses lèvres de chair…

Ah! maintenant je comprenais ce qu'elle voulait dire quand elle m'écrivait «qu'il y a autre chose à mettre dans un portrait que les lignes de la figure : par exemple, le dessin de l'âme! »…

Elle connaissait certainement alors une peinture pareille à celle qui nous tenait ce jour en extase et aussi sans doute le maître qui lui envoyait «son petit cadeau pour le *panier* de mariage»… Il ne m'était plus possible d'en douter!

Je me penchai sur la toile pour y lire une signature. J'y trouvai une lettre : P.

Mon oncle et Cordélia n'étaient plus là pour satisfaire ma curiosité. Je les cherchai sans les trouver. On me dit que ma femme venait de se retirer dans sa chambre pour y prendre quelques minutes de repos.

Nos invités commençaient de prendre congé. Mon oncle réapparut. Il n'avait plus cette pâleur qui m'avait frappé. Bien au contraire, il était fort réjoui et très exubérant dans les adieux qu'il adressait à ses hôtes. Il me regardait de temps en temps et me souriait largement comme s'il eût voulu me faire entendre : «Soyons heureux! tout va bien! »

Qu'avait-il donc pu craindre à un moment de cette inoubliable journée?…

Obéissant à ma pensée latente et qui me travaillait ardemment depuis la scène du portrait, je retournai dans la salle des cadeaux. Le tableau avait disparu.

Je demandai au vieux Surdon ce qu'on avait fait de ce chef-d'œuvre. Il me répondit que, sur l'ordre de Mademoiselle – il ne pouvait s'habituer à l'appeler Madame – il avait descendu lui-même le portrait à la cave.

Comme je m'en étonnais, il me répondit que c'était une place toute trouvée pour cette peinture du diable !

Je l'arrêtai, comme il s'en allait sur ces mots, et je lui dis :

– Surdon, tu connais l'homme qui a fait cette peinture-là ?

Surdon me regarda, fronça les sourcils et dit :

– Monsieur a autre chose à faire aujourd'hui qu'à s'occuper de bêtises pareilles !

Il voulait m'échapper, je le retins encore :

– Écoute, Surdon, je ne vais plus te demander qu'une chose, mais il faut que tu me répondes si tu veux que nous restions bons amis… Quand je suis allé à Hennequeville, j'ai trouvé devant la grille un homme qui regardait la maison fermée. On m'a dit que cet homme était un peintre anglais qui passait pour toqué dans le pays ; n'est-ce point le même que

celui qui a envoyé aujourd'hui le portrait de ta maîtresse?

Mais Surdon, têtu, se détourna, me répondant
encore cette phrase qui m'horripilait :

– J'ai déjà dit à Monsieur que ça, c'étaient des
bêtises!…

J'étais furieux et stupide.

C'était Surdon qui avait raison. J'étais dans un
jour où rien ne devait me préoccuper que mon bonheur et voilà que j'interrogeais un domestique en
cachette sur des événements qui n'avaient certainement *plus* aucune gravité et que l'on désirait de
toute évidence me cacher par amitié pour moi.

Je me retirai d'assez méchante humeur, du côté
de cette partie solitaire du parc que je n'avais jamais
aimée, parce que je la trouvais lugubre. Je fus tout
étonné moi-même de m'y trouver en proie à des
pensées indignes et de Cordélia et de moi. Mais
quelqu'un a dit que l'homme est un sot animal.

Sur ces entrefaites, mon oncle s'avança. Il était
en habit de voyage. Il avait décidé de partir en effet,
le soir même, pour Caen. Il me déclara tout de suite
qu'il avait une confidence à me faire, que la chose
était, du reste, de peu d'importance et qu'il ne m'en
aurait certainement point parlé si Surdon n'était
venu l'entretenir de la curiosité que j'avais montrée
à propos du portrait de Cordélia.

Patrick

J'étais un peu confus, mais comme il arrive parfois dans les minutes de grande timidité, je me tirai de ce mauvais pas par de l'audace.

— Écoutez, mon oncle, il faut m'excuser, fis-je, mais le hasard m'a mis sur la route d'un homme qui soupirait en regardant le château normand, et qui, m'a-t-on dit, était peintre. J'ai pensé qu'il y avait peut-être quelque corrélation entre ce peintre et le portrait qui nous est arrivé tantôt et aussi avec certains événements qui, avant mon mariage, m'ont beaucoup fait souffrir.

— Quels? demanda-t-il.

— Votre voyage précipité…

— Eh bien! c'est vrai! et c'est de cela que je veux te parler pour qu'il n'en soit plus jamais question entre nous. Sache donc que Cordélia rentra un soir au château avec un étranger qu'elle avait découvert dans la cour d'une ferme en train de peindre je ne sais quelle goton donnant à manger à ses poules. Elle me déclara que cet homme était un artiste unique et qu'elle lui était très reconnaissante qu'il voulût bien faire d'elle son élève.

«L'étranger riait de cet enthousiasme juvénile et se présenta en parfait homme du monde. C'était un Anglais de noble race, un peu bizarre, avec des idées étrangement personnelles sur toutes choses. Je ne comprenais point toujours ce qu'il disait, mais ses idées séduisaient, pour le moment, Cordélia. Je ne vis aucun inconvénient à ce qu'ils travaillassent tous les deux, tantôt au château, tantôt dans les champs. Patrick (tel est le petit nom de ce gentleman, le seul dont il signât ses œuvres), habitait dans les environs, un cottage sur la lisière de la forêt de Touques.

«J'étais, à ce moment, très occupé par une affaire qui m'obligeait à faire souvent le voyage de Paris… et je ne m'apercevais point des changements qui s'opéraient en Cordélia.

«Ce furent Surdon et sa femme qui me signalèrent que la petite ne riait plus, ne jouait plus à la fermière, ne montait plus à cheval, passait tout son temps à peindre ou à lire, ou à rêver, ne sortait que lorsque l'étranger lui avait donné un rendez-vous d'études dans quelque coin de campagne d'où elle revenait pensive et muette.

«Je considérai alors Cordélia et je fus stupéfait de lui voir un visage nouveau, aussi grave qu'il était naguère enjoué, avec un regard singulier qui ne fixait rien, qui semblait voir des choses absentes. Je me fis d'amers reproches sur mon imprudence et sur ma négligence. Cependant, je ne dis rien pour mieux observer. Je dus me rendre compte tout de suite que Cordélia ne vivait plus que *par la pensée* de ce Patrick…

— Ah! mon Dieu! soupirai-je… voilà bien ce que je craignais d'apprendre…

— Ne soupire pas ainsi, continua mon oncle, ne soupire pas ainsi, car tu vas voir que toute cette histoire n'a aucune importance… Sais-tu à qui Cordélia avait affaire?

— À un drôle! déclarai-je.

— Tout simplement, à une espèce de charlatan qui lui faisait prendre des vessies pour des lanternes, qui lui racontait des *histoires à dormir debout* sur sa puissance psychique et un tas d'autres balançoires qui avaient fini par lui tourner la tête…

— Mais m'aimait-elle toujours?

— Je crois bien qu'elle t'aimait toujours… seulement elle ne voulait plus se marier!

— Ah mon Dieu! soupirai-je…

— Je vais te dire comment les choses se sont passée et tu verras que cela n'a aucune importance…

— Pardon, mon oncle… pardon! Je vois bien

maintenant que tout ce que vous me dites là est fort important!… Je n'aurais même jamais pensé que ça avait été aussi important que cela!…

— Ah çà! mon garçon, tu me fais hausser les épaules. Es-tu un homme oui ou non? N'es-tu point marié à une jeune femme que tu adores et qui t'aime, elle, depuis qu'elle a ouvert les yeux?… S'il est encore question de cet illuminé de Patrick demain matin, que le diable m'emporte!… je ne te serre plus la main!… Écoute-moi donc, car il faut en finir… je venais de découvrir dans un meuble de l'atelier de Cordélia tout une correspondance secrète entre elle et Patrick…

— Eh bien! il ne manquait plus que ça!

— Cette correspondance, continua mon oncle, était ce que ces gens-là appellent une *correspondance d'âme*… Et je te prie de croire, mon bon Hector, que ce n'est point ce *commerce psychique,* comme ils disent, qui me fera grand-père un de ces quatre matins… Presque en même temps que ce charabia, je trouvai dans la chambre de Cordélia une nouvelle bibliothèque pleine de livres *magiques*!… Oui, une bibliothèque de sciences occultes… Des bouquins invraisemblables sur le monde invisible, sur les *visages et les âmes*, tu vois ça d'ici : «les visages et les âmes…» Ah! et un livre illustré sur les stigmatisées, les médiums et les thaumaturges!… Est-ce que je sais? est-ce que je sais?… Mon petit, pour te prouver que tout ceci n'avait aucune importance, sache que ce Patrick, je n'ai même pas eu besoin de le voir, pas eu besoin de le chasser!… Tout est venu et le plus naturellement du monde, de Cordélia, qui n'a jamais été une toquée et qui s'est rendu compte elle-même du danger qu'elle courait à écouter ce saltimbanque… Comme elle me surprit au milieu de sa bibliothèque dévastée et devant les lettres de Patrick, elle se jeta à mon cou avec un grand cri : «Papa! sauve-moi!»

– Chère! chère! chère Cordélia! ne pus-je m'empêcher de m'exclamer… Je la retrouve! Je la retrouve bien là!

– «Oui, je vais te sauver de ce fou, ma Cordélia, repartit mon oncle à sa fille : Hector arrive bientôt d'Amérique; je vais vous marier!…» Et c'est alors, mon cher Hector, qu'elle me dit : «Mais je ne peux plus me marier avec Hector! *Patrick me l'a défendu*!»

– Ah oui! fis-je suffoqué à nouveau… Ah oui!… pas possible!… En vérité! ce Patrick lui défendait de se marier avec moi!…

– Oui, elle prétendait qu'elle était moralement obligée d'obéir à Patrick… que sa *pensée lui appartenait*!

– Sa pensée lui appartenait! Eh bien, voilà qui est plus fort que tout, par exemple! Et qu'est-ce que vous lui avez répondu, je vous prie, mon oncle?

– Je lui ai répondu : «Fais ta malle, ma chérie, nous allons aller nous promener dans un coin de l'Europe où nous ne risquerons pas de rencontrer ce joli monsieur et surtout pas de correspondance!... Nous reparlerons de tout cela dans deux mois!... » Eh bien! conclut mon oncle, nous partîmes, comme tu le sais, et nous n'eûmes pas besoin d'attendre deux mois... Au bout de six semaines, Patrick était oublié et Cordélia ne pensait plus qu'à toi!... Et maintenant, mon cher enfant, je t'embrasse!... Cordélia t'appartient, j'espère que tu n'auras pas de mal à la garder! Rends-la heureuse, sacrebleu!...

Sur quoi, il me serra dans ses bras à m'étouffer et partit en répétant dans sa moustache : *«Des histoires à dormir debout! Des histoires à dormir debout! »*

Quand je rentrai au château, Mathilde, la femme du vieux Surdon, me dit que sa maîtresse m'attendait dans son appartement. En y pénétrant j'y trouvai, tout servi, un petit souper fin au champagne qui n'était pas du luxe, car, nous autres, nous n'avions rien mangé ou à peu près; tout notre temps ayant été employé à embrasser les gens ou à leur rendre leurs politesses.

La table avait été dressée dans le boudoir. La porte de la chambre de Cordélia était restée fermée. J'étais comme une grande bête. Je n'osais frapper, et je me mis à tousser en regardant stupidement le papier que j'avais collé moi-même sur les murs.

À ce moment, la porte s'entrouvrit tout doucement et j'entendis la voix rieuse de Cordélia qui disait encore : «Dieu! qu'il est laid! Dieu! qu'il est laid! » Je me retournai en riant aussi, car, cette fois, je savais bien qu'il n'était pas question de moi.

Je fus étonné de voir Cordélia tout enveloppée d'une fourrure :

— Ah! mon Dieu, m'écriai-je, aurais-tu attrapé froid?

— Je n'ai pas *attrapé froid*, me dit-elle. J'ai froid. Tu ne trouves pas qu'il fait un froid de loup?

Je crus à une plaisanterie, car, en vérité, la journée avait été exceptionnellement chaude pour la saison et il y avait dans le boudoir un bon petit feu de bois dont je me serais parfaitement passé.

— Cordélia, fis-je, tu sais que cette zibeline te va très bien et tu fais la coquette. Ce n'est pas moi qui m'en plaindrai; mais tu vas étouffer là-dessous.

Elle me répondit en frissonnant et en appelant Mathilde pour qu'elle remît du bois dans la cheminée.

Je devins triste, car je la crus réellement malade.

— Je t'affirme que je n'ai rien, fit-elle, de l'air le plus naturel. J'ai un peu froid. Cela arrive à tout le monde d'avoir un peu froid. Je te défends de t'affliger; je ne peux pas dire que j'ai chaud quand j'ai froid! quel tyran! Eh bien! le ménage commence bien! s'exclama-t-elle de la façon la plus drôle en m'embrassant devant Mathilde qui n'en parut pas autrement gênée, habituée qu'elle était à nous voir nous embrasser depuis beau temps!...

Ce fut Cordélia qui mit Mathilde à la porte. Elle me demanda tout de suite :

– Qu'est-ce que papa t'a raconté ?... Vous vous êtes promenés plus d'une demi-heure dans ce parc que tu détestes... qu'est-ce qu'il t'a raconté ?

– Écoute, Cordélia, il m'a raconté des choses sans importance. Mangeons. Tu n'as pas faim, toi ?

– Oh si !... mais tu sais, tu peux me dire tout ce qu'il t'a dit ! C'est moi qui l'ai envoyé vers toi !... je voulais que tu saches tout, mon chéri, avant que tu ne montes me retrouver ici... *Crois-tu que tout ça c'est des bêtises !...* dis, mon chéri... dis-moi que tu me pardonnes !...

Ah ! si je lui pardonnais !... chère, chère, chère Cordélia !...

Elle continuait, en découpant la galantine truffée :

– Quand j'y pense maintenant, je me trouve tout à fait stupide, mais c'était un être si bizarre... Il m'avait comme étourdie, en vérité !...

– N'en parlons plus, suppliai-je, n'en parlons plus !

– Tu devrais être heureux que je t'en parle, Hector, avec cette tranquillité... Cela prouve que *j'en suis bien guérie !...* Et je te prie de croire que cela me fait au moins autant de plaisir qu'à toi!… Vois-tu, le psychisme, l'hypnotisme, la magie, il ne faut pas y toucher… On se monte la tête, on ne s'appartient plus! C'est une vraie maladie… Comment trouves-tu la galantine? Eh bien! verse-moi donc du champagne!… Et embrasse-moi!… À quoi penses-tu?… Ah! mais, ce n'est pas toi qui vas penser à Patrick, maintenant?… Tiens! cela «m'a fait tout drôle» de prononcer son nom!

Là-dessus, elle frissonna encore :

— Je t'assure, Hector, qu'il y a quelque part un courant d'air.

— Non, ma chérie, toutes les portes sont fermées…

— Un courant d'air glacé!…

Elle claquait des dents. Je me levai dans une inquiétude sans nom. Et tout à coup, sous mes yeux, je la vis pâlir…

— Qu'est-ce qu'il y a? Qu'est-ce qu'il y a? Cordélia, mon amour!…

— Je vois maintenant ce que c'est, fit-elle en s'enveloppant plus étroitement dans sa fourrure… *c'est le portrait* !

— Comment, le portrait?

— Oui, le portrait que m'a envoyé Patrick et que j'ai fait descendre à la cave…

— Eh bien?

— Eh bien, *le portrait a froid* !…

Cette phrase était de l'hébreu pour moi et mes yeux, démesurément ouverts, attestaient non seulement mon incompréhension, mais encore mon inquiétude.

– Tu ne comprends pas, tu ne peux pas comprendre, prononça Cordélia d'une voix blanche. C'est ce qu'ils appellent *l'extériorisation de la sensibilité*. Ils affirment que de grands savants ont fait là-dessus des expériences concluantes. Ainsi, le célèbre M. de Rochas a prouvé *scientifiquement* que l'on peut prendre la sensibilité d'un sujet, la transporter dans un verre d'eau, et faire souffrir le sujet en enfonçant une épingle dans l'eau de ce verre!

Je me levai littéralement épouvanté par le calme avec lequel Cordélia me débitait ce que je croyais être alors des «sornettes du diable».

– Deviens-tu folle, Cordélia?... Tu ne crois pas à de pareilles stupidités?... Dis!... dis!... mais parle donc!

– J'ai froid! répliqua-t-elle d'une voix de plus en plus blanche, lointaine, *j'ai froid à mon portrait*!... Je vois que je vais attraper mal si on laisse le portrait dans la cave!... Et puis, c'est très mal d'avoir descendu ce portrait à la cave! *Il* ne doit pas être content!

Je pensai alors, avec une grande pitié, que ma Cordélia n'était point aussi guérie qu'elle le disait de son étrange maladie, et c'est les larmes aux yeux que je lui proposai :

– Où veux-tu qu'on le mette, le portrait?... Je ne veux pas te contrarier pour une bêtise pareille!...

– Où tu voudras! où tu voudras! mais ne le laisse pas dans cette cave!... Et surtout, ne le bouscule pas!...

– C'est entendu! je descends le chercher... et je me levai, navré.

– Je te demande pardon, mon chéri... mais ce n'est pas ma faute, n'est-ce pas?... Je regrette bien qu'il nous ait envoyé ce portrait.

– Moi aussi! fis-je.

Je descendis. J'étais furieux. J'appelai Surdon et lui donnai des ordres pour qu'il allât chercher le tableau et puis je lui dis de ne pas s'en occuper... *après ce que m'avait dit Cordélia, j'avais peur qu'il le maltraïtât!*...

C'est moi qui m'en fus à la cave. Je la pris, cette toile maudite; et je la transportai dans le grand salon du premier étage, prenant soin, malgré moi, de ne point la heurter aux murs ni aux meubles. Certains diront (il y a toujours des malins), que je me conduisais comme un grand enfant, un niais. Possible! Nous en reparlerons! Nous en reparlerons! Le fait est que Cordélia avait eu tellement d'emprise sur mon esprit que je ne pouvais m'empêcher d'agir comme elle me l'avait commandé.

Cependant, devant le portrait que j'avais déposé contre le pied d'un guéridon, j'ouvris, toutes grandes, les portes-fenêtres du balcon, ce qui n'était point pour lui donner chaud… La nuit, très fraîche après cette belle journée, entra dans la pièce. On ne pouvait rien me reprocher : je n'avais pas maltraité le portrait, il n'était pas dans la cave ; c'était tout ce que l'on m'avait demandé et si, maintenant, Cordélia n'avait plus froid, je pouvais la guérir, du coup, de ses singulières idées…

Quand je la retrouvai elle était toujours frissonnante dans sa fourrure et elle me regarda avec tristesse.

– Pourquoi l'as-tu mis dans un courant d'air ? me dit-elle… j'étais sûre que tu allais te jouer de moi ! C'est mal, j'ai encore froid !… Apporte le portrait ici ; alors je serai tout à fait tranquille…

– Mon Dieu ! oui ! m'écriai-je… c'est ce qu'il y a de mieux à faire, et je repartis regrettant amèrement d'avoir fait un faux calcul. J'aurais dû mettre le portrait au chaud. Cordélia pensant que, par malice, je l'avais laissé au froid, aurait été confondue, une fois pour toutes.

Naturellement, quand le portrait fut dans le boudoir, Cordélia déclara qu'elle n'avait plus froid. Elle laissa tomber son manteau et je l'aperçus dans le plus charmant déshabillé qui se pût concevoir. Ah ! la jolie petite femme que j'avais là !…

— Ma chérie! ma chérie! m'écriai-je… tu ne sais pas comme tu es belle! voilà la vraie vérité du bon Dieu! et ce ne sont pas des idées, cela! et quand je t'embrasse, je sens que je n'embrasse pas ton portrait!

— Moi aussi! je le sens! fit-elle en riant de tout son cœur, tu m'étouffes!…

La vérité, en effet, était que je la serrais un peu fort dans mes bras tremblant de bonheur. Elle était redevenue tout à fait normale, si bien qu'elle me rappela le plus gentiment du monde aux réalités du souper. Et nous nous remîmes à manger avec appétit et gaieté! Nous buvions dans la même coupe comme des enfants amoureux. Tout de même, averti par l'expérience du portrait, je prenais garde que la conversation ne s'égarât plus dans le passé. Nos projets d'avenir, notre prochain voyage en faisaient les frais.

— Comme nous allons être heureux! s'exclama-t-elle.

— Oui, ma chère Cordélia, nous serons bien heureux! Il ne faut plus penser qu'à cela! ajoutai-je.

C'était un mot de trop, car elle repartit:

— Et à qui donc veux-tu que je pense, mon bon Hector?… Ah! oui, reprit-elle tout à coup en considérant ma mine embarrassée… Tu me dis cela à cause du portrait!… J'avoue que j'ai été très impressionnée par le portrait… ou plutôt par la présence du portrait, car je ne l'ai pas encore vu et je ne désire pas le voir (j'avais déposé la toile dans un coin, face au mur)… mais c'est tout à fait passé… tout à fait… Oh! tout à fait!… Et quand j'y réfléchis, *maintenant que je suis bien,* je me trouve un peu sotte, évidemment!

Rien ne pouvait me faire plus de plaisir que ce qu'elle disait là. Je marquai le coup tout de suite.

– Tu vois, ma chérie, tu avoues toi-même que, tout à l'heure, «tu n'étais pas bien»? Les fatigues de la journée, le besoin de reprendre des forces… tu avais faim, tout simplement… voilà la cause de ton étourdissement et de tes frissons, sois-en persuadée.

– Ma foi, je suis portée à le croire.

Je l'embrassai à nouveau pour cette bonne parole… mais je crus nécessaire d'ajouter en riant d'une façon tout à fait gaillarde :

– *Et moi, je ne crains plus l'extériorisation de la sensibilité!*

Je n'avais pas plutôt dit cela que le visage de Cordélia redevint tout à fait grave.

– Je crois, en tout cas, que l'on aurait tort de rire de ces choses. J'ai pu, moi, me faire des idées… mais je te répète que l'«extériorisation de la sensibilité» est une chose scientifiquement prouvée… c'est le positivisme moderne qui a enfermé l'âme dans le corps, mais au Moyen Âge…

Ah là là ! Ah là là ! pensai-je, où sommes-nous repartis ? Nous voilà maintenant au Moyen Âge !

– … au Moyen Âge, l'âme se libérait facilement de la chair…

– Nous ne sommes plus au Moyen Âge, ma chérie !

– La belle promenade qu'elle faisait, hors de sa prison !

– Oui ! oui ! comment donc !… Tiens, partageons ce fruit !…

– As-tu entendu parler de l'envoûtement ?

– Jamais !… et je n'en veux rien savoir !…

– Hector, Hector, que tu es bête, grand enfant !… Il est impossible de causer sérieusement avec toi. Il y a des choses qu'il faut que tu saches à moins de rester un âne !

– Merci !

– L'envoûtement, c'est de l'histoire de France… et les découvertes modernes viennent nous prouver que ce n'est pas de la pure fantaisie… quand on voulait envoûter quelqu'un, on prenait une petite statuette de cire qui ressemblait autant que possible à la personne dont on voulait se débarrasser…

– Oui da ! et alors ? fis-je en lui prenant sournoisement la taille…

– Et alors, après avoir *naturellement* extériorisé la sensibilité de cette personne, sur cette statuette, on perçait la statuette d'une épingle et la personne mourait.

— Tu es sûre qu'elle mourait?

— Si j'en suis sûre?… Non! je n'en suis pas sûre!…

— Tant mieux! (disant cela, je regardais ma Cordélia avec une ardente tendresse).

— Mais il y a des personnes qui en sont sûres, des personnes qui prétendent même qu'il y a beaucoup de morts mystérieuses du Moyen Âge qui ne peuvent s'expliquer que comme cela.

Je n'osai demander qui étaient ces *personnes-*là… J'étais tout à fait désespéré que la conversation eût encore une fois dévié sur un sujet qui m'était odieux… Tout à coup, elle se leva :

— Montre-moi le portrait, commanda-t-elle, je veux le voir. (Il n'y avait pas cinq minutes qu'elle m'avait déclaré qu'elle ne désirait pas le voir.)

— Est-ce bien nécessaire, fis-je, ma chère Cordélia?… ne dissimulant pas une émotion que j'aurais voulu lui faire partager…

Mais hélas! elle ne pensait plus, encore une fois, qu'au portrait… et c'est avec une douleur que je ressentirai toute ma vie que je la vis se pencher sur la toile et la retourner de notre côté…

Bien qu'elle fût restée dans l'ombre, la figure qui y était peinte apparut nettement, dans son étrange rayonnement.

– Ah! soupira Cordélia, que c'est beau!…

Elle resta quelques instants silencieuse et puis elle me demanda mon avis :

– N'est-ce pas, Hector, que c'est beau?

– Très beau! répondis-je. Très beau!…

Certes! je ne voulais pas la contrarier et puis, après tout, c'était mon avis… En vérité, je ne savais plus quelle contenance tenir… quand une femme navigue dans le grand art, le moindre geste d'un homme peut lui paraître d'une brute… Tout de même, je me risquai à lui serrer doucement la main pour lui rappeler que j'étais là!… Elle tourna la tête de mon côté et me regarda avec une douceur charmante, puis elle prononça, me désignant la toile du doigt :

– On peut dire de celui qui a fait cela tout ce qu'on voudra, mon bon Hector, on peut dire que c'est un toqué… et je crois bien qu'il est un peu fou, en effet, mais on ne peut nier que ce soit un très grand artiste…

Et comme j'avais le malheur de ne pas répondre tout de suite :

– Mais parle donc!… Enfin, c'est lui, *le premier qui a su peindre l'aura*!

– Parfaitement!

– Quoi, parfaitement?… Tu sais ce que c'est que *l'aura*?

– Non!

– Alors, pourquoi dis-tu : parfaitement !… Je vais te dire, moi, ce que c'est que *l'aura*… c'est le rayonnement qui émane de chacun de nous, perceptible pour l'âme entraînée.

– Ah ! ah ! Il faut que l'âme soit entraînée !

Cordélia délia la timide étreinte de mon bras et me considéra avec tristesse.

– Mon pauvre Hector, n'aie pas l'air de te moquer de ce que tu ignores… Réfléchis plutôt un peu à toute la matière rayonnante ; pourquoi ne veux-tu pas que le corps humain rayonne ? Ce rayonnement-là, ce n'est pas seulement une âme entraînée qui peut l'apercevoir, mais *certains yeux qui ont reçu le don de voir*, je t'assure. *Regarde ce portrait !* Enfin, la plaque photographique nous restitue ces rayons, même éloignés du corps dont ils émanent *et dont ils gardent quelquefois la forme* ! c'est *l'aura* !…

– Vraiment, la plaque photographique ?… (Il fallait bien que je dise quelque chose.)

– Il n'y a que toi à l'ignorer !

– Je te demande pardon !…

– Ce fluide, continua-t-elle avec un sérieux terrible, ce n'est pas autre chose que notre *sensibilité* et plus que notre sensibilité, *notre vie intellectuelle* qui émane de nous, qui nous devance, qui perçoit les choses bien avant notre corps… Qui me fait penser, dans la rue, à quelqu'un que je vais rencontrer dans cinq minutes, parce que mon *aura* l'a vu avant mes yeux de chair, comprends-tu?… comprends-tu, mon Hector?…

– Oui! oui, acquiesçai-je tout à fait effaré de la tournure de l'événement, je commence à comprendre…

– Eh bien! ce n'est pas trop tôt! Si tu savais, au fond, comme tout cela est intéressant… c'est la véritable science nouvelle!… la seule qui comptera dans quelques années… Et cette *aura*, ma sensibilité, la tienne, est une force qui peut agir à distance et que *l'on peut agir à distance*!… c'est un phénomène bien connu… Dans ce dernier cas, c'est ce qu'on appelle la suggestion… La suggestion est une chose aussi claire maintenant qu'une formule mathématique, comme deux et deux font quatre, par exemple! Avec la suggestion, on a vu des *auras* s'éloigner du corps à des distances incroyables, sinon s'en détacher tout à fait, car ce serait la mort… du moins, *presque l'oublier*!

Et sur ces derniers mots qu'elle avait prononcés avec une exaltation qui m'avait littéralement atterré, elle redevint à nouveau pensive.

À quoi pensait-elle? À quoi pensait-elle?

J'étais tombé sur une chaise et je regardais Cordélia avec accablement; je la voyais de profil, toute droite, en face de ce maudit tableau. Le léger voile qui recouvrait son épaule avait glissé et j'apercevais sa chair nue, sa jeune gorge, la ligne adorable des bras qui pendaient avec une grâce suprême... Mon accablement, peu à peu, faisait place à une admiration qui ne demandait qu'à s'exprimer... je me soulevai avec précaution, je me glissai vers elle comme un voleur et je refermai mes bras sur elle comme pour un rapt et aussi comme si j'avais *déjà* peur qu'on ne me l'enlevât, ce cher trésor de beauté... Surprise, elle poussa un léger cri, tourna vers moi des yeux étranges que je ne connaissais pas et qui me regardaient comme s'ils ne me reconnaissaient plus.

– Cordélia ! soupirai-je... je suis ton époux, je t'adore !

Et je posai mes lèvres sur les siennes, mais, ô terreur ! je rencontrai une bouche de marbre et je ne lui avais pas plutôt imposé mon baiser que je n'eus plus entre mes bras qu'une statue !... je n'avais plus, sur mon cœur, qu'un être inanimé !... non dénué de vie, *mais dont la vie était partie ailleurs* ! Cordélia dormait un effrayant sommeil cataleptique sur mon épaule ! Je j'appelai, je lui donnai les plus doux noms !... Je la suppliai de répondre à ma voix ! Elle ne m'entendait pas ! De me rendre mes embrassements ; elle ne les sentait pas !... Cordélia !...

– Chère ! chère, chère Cordélia ! sanglotai-je…
où es-tu ?… où es-tu ?…

Enfin, l'ayant déposée sur sa couche, dans sa
rigidité funèbre… je me mis à crier, à appeler
comme un fou !…

Arrêt
sur
lecture 1

Entrons dans le texte

Un titre énigmatique

Un étonnant cambriolage... – Le thème du cambriolage est classique dans la littérature d'énigme policière. Gaston Leroux s'adresse à un public qui a appris à le connaître comme l'un des meilleurs spécialistes du genre. Il lui promet que cette nouvelle aventure sera bien dans ses goûts. Néanmoins il annonce que l'énigme prendra, cette fois, un caractère encore plus mystérieux : il ne s'agit plus ici de voler un classique tableau, un bijou ou une sculpture, mais un cœur.

L'auteur nous propose donc un cambriolage bien différent de ceux que l'on rencontre habituellement dans l'univers voisin de Maurice Leblanc (1864-1941) – le père d'Arsène Lupin et le rival de Gaston Leroux –, où le vol parfait est celui qui consiste à remplacer un vrai tableau par une copie si exacte que son propriétaire lui-même ne verra pas de différence, et que, par conséquent, il pourra ignorer longtemps qu'il a été la victime d'un vol. Un tel méfait s'apparente donc moins à un crime qu'à un canular, capable de révéler tout à la fois le sot aveuglement et la cupidité du prétendu amateur d'art.

La promesse de l'humour – La violence criminelle, mais aussi bien la joie de détrousser les bourgeois, de bouleverser l'ordre établi, tiennent une place importante dans les récits d'aventures policières proposés par les auteurs de la Belle Époque. Et, dans ces années-là, en France, c'est sur le ton de la comédie, plutôt que sur celui de la tragédie, qu'on a coutume de traiter du thème du «cambriolage» des cœurs féminins, autrement dit de l'adultère. Le titre choisi par Gaston Leroux annonce donc qu'on trouvera dans le récit du mystère et de l'humour.

Le mélange des genres

L'axe rationnel : le progrès technique – Le charme de l'œuvre procède d'un savant mélange des genres. D'une part, Leroux met en place plusieurs éléments du vaudeville, comédie théâtrale aux mœurs légères. Hector représente le type du bourgeois, sûr de la positivité du progrès technique. Il est destiné à prendre la succession de son père à la tête d'une usine de sidérurgie, est persuadé de l'amour que lui porte Cordélia, jeune fille de bonne famille aimant la lecture et les arts. Tout les destine l'un à l'autre et pourtant… À son retour d'Amérique, Hector découvre l'existence d'un autre homme dans la vie de Cordélia, Patrick. Le mari trompé, la femme adultère et l'amant idéalisé : chacun réagit de façon caricaturale, extrêmement dramatique. Les grandes tirades de Cordélia, notamment, font preuve d'un humour mordant de la part de l'écrivain :

> Oh si!… mais tu sais, tu peux me dire tout ce qu'il t'a dit! C'est moi qui l'ai envoyé vers toi!… je voulais que tu saches tout, mon chéri, avant que tu ne montes me retrouver ici… *Crois-tu que tout*

ça c'est des bêtises!... dis, mon chéri... dis-moi que tu me pardonnes!...

Le lecteur s'amuse des quiproquos et autres situations alambi-
quées.

Vous avez dit bizarre... – D'autre part, Leroux introduit dans le
récit des éléments relevant de la littérature fantastique : le soir
des noces, alors qu'Hector se penche vers sa nouvelle femme et
l'embrasse, celle-ci se transforme en statue. Son cœur et son
âme volent vers Patrick, tandis que son corps inerte reste dans la
chambre nuptiale. Hector se met alors à douter : ne trouvant pas
d'explication logique et implacable à ce qui se déroule sous ses
yeux, il en arrive, contraint et forcé, à croire à l'irréel.

Art et pseudo-science

Le «dessin de l'âme»

Hector peint par Cordélia – Le récit, dans cette première partie,
s'organise autour de deux tableaux, deux visages. Le premier est
un portrait d'Hector, peint par Cordélia. La jeune fille ne tarde
pas à réclamer le tableau à son fiancé : en dépit de sa ressemblance, il lui semble indigne puisqu'il y manque le «dessin de
l'âme». Hector ne comprend pas : l'âme étant pour lui «essentiellement invisible», il ne peut être question de la dessiner. Les
deux amants se heurtent ici à une première incompréhension
mutuelle : Hector évolue dans l'univers de la certitude, de la
science et de la raison, tandis que Cordélia s'échappe dans la
sphère de l'inconscient, de la sensation, de l'imperceptible. La
séparation entre l'art et la science, très commune au fil des
siècles, prend toute sa dimension avec ces deux personnages.
Cordélia peinte par Patrick – Lorsque Hector découvre le

pièce

second tableau, portrait de Cordélia peint par Patrick, artiste confirmé, il reconnaît que l'œuvre contient quelque chose de plus : une « aura », sorte de halo qui vient envelopper la jeune fille d'une douce lumière, et que seuls les gens initiés aux mystères de l'art peuvent véritablement apprécier.

Le jeune homme associe alors ce qu'il voit aux propos tenus par sa fiancée, et comprend – ou croit comprendre – ce qu'elle avait à l'esprit lorsqu'elle lui écrivait qu'« il y a autre chose à mettre dans un portrait que les lignes de la figure : par exemple, le dessin de l'âme ! ». Avec ce deuxième tableau, Hector commence à pénétrer un peu plus avant dans les méandres de la pensée de Cordélia, sans pour autant tout saisir :

> – Enfin, c'est lui, *le premier qui a su peindre l'aura* !
> – Parfaitement !
> – Quoi, parfaitement ?...Tu sais ce que c'est que *l'aura* ?
> – Non !

De la même façon qu'Hector perd peu à peu Cordélia, le jeune homme du tableau voit sa compagne s'effacer, devenir transparente, jusqu'à ce qu'on ne discerne plus que son aura, son âme…

75

Au pied de la lettre

Glissement de sens – Pour Gaston Leroux comme pour les romantiques, l'art constitue une voie d'accès au fantastique. Pour autant, notre romancier adopte ce point de vue avec moins de sérieux que ses prédécesseurs. À la fin du chapitre 6, rien ne nous interdit de supposer encore que l'attitude de Cordélia trouvera une explication rationnelle. Dire d'un peintre qu'il a su mettre dans une toile l'âme de son modèle ne fait pas d'un amateur d'art un adepte du paranormal : l'expression est assez commune et ne signifie pas pour autant que cette âme soit captive du tableau. Mais un mot en entraînant un autre, Gaston Leroux conduit son lecteur à une autre perception de la réalité : le peintre ayant mis l'âme du modèle à l'intérieur du portrait, le portrait «contenant cette âme», en quelque sorte, l'objet peut éprouver des sensations. Et on en vient à admettre une «extériorisation de la sensibilité» qui permettrait d'imaginer que le tableau puisse souffrir du froid !

L'art ou l'irrationnel? – Ainsi, deux postulats différents se combinent. Le premier, selon lequel ce qui est de l'ordre du visible pourrait témoigner de ce qui ne l'est pas (comme lorsque nous disons que la marque des rides autour des yeux témoigne du caractère rieur d'une personne). Le second qui voudrait qu'en capturant l'image d'une personne, nous transférions son âme dans sa représentation, c'est-à-dire à l'extérieur de son corps. Or, le premier principe appartient bien en effet à la problématique de l'art, tandis que le second relève d'une croyance irrationnelle.

Des visages et des âmes

Au chapitre 6, l'oncle avoue à Hector qu'il a trouvé dans la chambre de Cordélia «une nouvelle bibliothèque pleine de livres *magiques*!… Oui, une bibliothèque de sciences occultes… Des bouquins invraisemblables sur le monde invisible, sur les *visages et les âmes*, tu vois ça d'ici : "les visages et les âmes". »

Pour les romantiques, un récit n'est complet que si le décor s'harmonise avec le drame. Il faut un paysage inquiétant pour servir de cadre à une scène lugubre. Mais le lieu ne suffit pas. Rien de ce qui est matériel ne pouvant être exclu de ce qui concourt au sens et à son unité, ces auteurs s'entichent de phrénologie. Voici qu'une prétendue « science » de leur temps les justifie de rechercher, dans la physionomie de leurs contemporains, puis d'improviser dans l'apparence physique des personnages qu'ils inventent, une expression chiffrée de leur caractère, voire même de leur destinée.

Ainsi, en 1841, Honoré de Balzac publie un roman, *Une ténébreuse affaire*, enquête policière où nous pouvons lire :

« Les lois de la physionomie sont exactes, non seulement dans leur application au caractère, mais encore relativement à la fatalité de l'existence. Il y a des physionomies prophétiques. S'il était possible, et cette statistique vivante importe à la Société, d'avoir un dessin exact de ceux qui périssent sur l'échafaud, la science de Lavater et celle de Gall prouveraient invinciblement qu'il y avait dans la tête de tous ces gens, même chez les innocents, des signes étranges. Oui, la Fatalité met sa marque au visage de ceux qui doivent mourir d'une mort violente quelconque ! **»**

à vous...

1 – Hector est attaché aux valeurs positives de la modernité. Relevez toutes les indications qui en témoignent.

2 – Le soir de leurs noces, Cordélia s'écrie : «Hector, Hector, que tu es bête, grand enfant! » Montrez par des exemples précis, tirés des six premiers chapitres, en quoi le comportement d'Hector justifie ce reproche.

3 – Hector et Cordélia sont des cousins germains. Examinez en quoi ce lien de parenté est nécessaire pour expliquer et justifier l'attitude d'Hector.

4 – Comment résumer la croyance de Cordélia? Essayez de formuler, en quelques propositions simples, le contenu de cette croyance. Montrez qu'il ne s'agit pas d'une doctrine cohérente.

5 – À quoi pouvons-nous reconnaître l'absolue honnêteté d'Hector?

6 – Cordélia ayant perdu connaissance, Hector s'écrie : «… où es-tu?… où es-tu?… » Commentez cette réaction.

7 – Citez un personnage de fiction (roman, cinéma, bande dessinée) dont l'apparence physique annonce le caractère. Trouvez à l'inverse un autre personnage dont le caractère dément en tout point l'apparence physique.

8 – Les prétendues «lois de la physionomie» sur lesquelles s'appuie le romancier ont été parfois utilisées au xxe siècle à des fins affreuses. Vous en donnerez des exemples révélés pendant vos cours d'histoire et vous les commenterez.

Suite de la nuit de noces

fixes ?

Mathilde et Surdon accoururent et furent aussi épouvantés que moi d'apercevoir Cordélia dans cet état de pierre. Tout ce dont nous pouvions nous assurer, c'est qu'elle n'était point morte. Je ne sais plus tout ce que nous tentâmes, Mathilde et moi, «pour lui faire reprendre les sens», tandis que Surdon était allé quérir le médecin le plus proche.

Nous portâmes Cordélia, toujours endormie, sur le balcon. Nous la rentrâmes. Nous essayâmes du froid et du chaud. Nous lui mîmes des briques brûlantes aux pieds et des compresses glacées sur le front. Ce qui nous effrayait par-dessus tout, c'était de la sentir dans nos bras toujours raide comme un bâton sans que rien parvînt à la détendre. Précédemment, je me suis servi d'un terme dont j'ignorais alors toute la puissance. J'ai dit que Cordélia dormait sur mon épaule son effrayant sommeil cataleptique. C'était vrai, mais je ne fus à peu près renseigné pour la première fois sur la catalepsie que par le médecin du village que m'amena Surdon.

Et, encore, je ne compris rien à ce qu'il me disait, sinon que c'était une maladie nerveuse et que la crise avait dû être déterminée par une grande fatigue du corps et de l'esprit et par les exceptionnelles émotions d'une journée matrimoniale. Il ne nous apprenait rien de nouveau, à ce point de vue : c'était bien ainsi que nous comprenions l'événement. Et quoi donc aurions-nous accusé dans notre ignorance, en dehors de l'émotion et de la fatigue ?

Le malheur fut que cet âne bâté se montra incapable de réveiller Cordélia. Après lui avoir vainement soufflé sur les yeux, il parut fort embarrassé… Il en savait peut-être plus long que nous, mais il n'en pouvait davantage. À nos objurgations, à mes soupirs, il ne sut que répondre ceci : « Elle se réveillera d'elle-même comme elle s'est endormie. » Et il me prêcha la patience.

La patience !… Il était bon, lui !… Je lui demandai avec angoisse combien de temps cela pouvait durer. Il ne me répondit que par un hochement de tête. Il m'horripilait.

— Mais, enfin ! en avons-nous encore pour une heure ? deux heures ?

— On ne peut pas savoir !… On ne peut pas savoir !…

– Tout de même ! m'écriai-je, exaspéré, cela ne peut pas durer deux jours ?

– Eh ! eh ! On a vu des cas... mais générale-ment...

Ah ! je l'aurais tué ! je l'aurais tué !... C'était pourtant un brave homme qui essaya de me rassurer, de me prouver que ce n'était pas très grave, de me faire espérer que nous nous trouvions en face d'un phénomène qui pouvait, avec quelques précautions, ne plus se renouveler, enfin, que cela se guérirait, et qui me renvoya au bout du compte à un spécialiste des maladies nerveuses. Sur quoi, il me planta là.

J'envoyai sur-le-champ Surdon, dans l'auto, à Rouen, d'où il devait ramener le Dr Thurel, célèbre dans tout le département pour certaines cures bizarres qui touchaient au miracle.

J'avais rejeté Mathilde hors de la chambre, car ses cataplasmes et le médecin n'ayant servi de rien, elle nous croyait la proie du diable et me fatiguait maintenant avec ses jérémiades et ses exorcismes. J'eus toutes les peines du monde à l'empêcher d'al-ler chercher le curé. Quelle nuit de noces !...

Resté seul en face de la couche nuptiale, où Cordélia allongeait son corps de statue, je fus moins entrepris par le désespoir pitoyable où aurait dû me jeter le spectacle de ma bien-aimée que par une sorte de rage presque enfantine contre le destin qui me jouait un aussi mauvais tour ! Mon Dieu ! que j'étais à plaindre ! Avoir tant attendu cette heure-là et la passer en face d'une femme de pierre ! Par quelle fatalité Cordélia s'était-elle endormie, debout dans mes bras, dans le moment même que je l'embrassais ? Ah ! c'était bien là, comme disait mon oncle, «une histoire à dormir debout»!

Dans mon affreux égoïsme, maintenant que je savais que la vie de Cordélia ne courait aucun danger, je pleurais mon malheur avant celui de ma bien-aimée. La victime, c'était moi !… Voilà bien les hommes, quand ils sont frustrés de certaines joies ou quand l'objet de leur désir leur échappe : ils deviennent des brutes. J'ai honte de moi quand je me revois, injuriant le ciel dans la chambre où Cordélia et moi nous nous trouvions enfin seuls. Je dois dire, cependant, à mon honneur, que peu à peu cet aveugle ressentiment qui me soulevait contre la nature entière fit place uniquement à une grande pitié et à une grande douleur *pour celle qui ne se réveillait pas.*

Au fur et à mesure que les heures s'écoulaient, une angoisse grandissante m'étouffait. Maintenant, je veillais Cordélia comme une morte et je m'étais mis à genoux devant ce grand mystère, aussi effrayant que l'autre… Pauvre, pauvre, pauvre Cordélia !…

être mettre à genoux = on joui knees

Le docteur Thurel

Il faisait petit jour quand Surdon revint avec le Dr Thurel.

Il était allé chercher l'illustre praticien jusqu'au milieu d'une fête officielle. Il n'avait, du reste, pas eu besoin de le ramener de force. L'histoire que lui avait racontée le domestique l'avait décidé à tout quitter et il n'avait même pas pris la peine de repasser chez lui pour changer de vêtements.

Je le verrai toujours arriver dans le jour blême, avec son plastron pâle et sa longue figure blanche, ses yeux étrangement décolorés, dont on ne pouvait oublier l'expression une fois que l'on avait rencontré ce regard tout chargé de la pensée intérieure.

Depuis ce jour-là, l'image du Dr Thurel ne m'a jamais quitté. Il apportait avec lui tant de choses nouvelles pour moi sur le seuil de ce drame obscur dans lequel je commençais de me débattre… et tant de lumière!… Certes, je n'en fus pas tout d'abord ébloui… mais j'en fus, dans l'instant, «remué» au fond de mes ténèbres.

Alors que les faits eux-mêmes ne soulevaient que ma colère sans pénétrer mon intelligence, il sut, lui, avec quelques paroles, ouvrir celle-ci à un monde nouveau… C'était un homme qui disait des choses étonnantes, *mais toujours pleines de bon sens…* On était obligé de le suivre et de le croire, à moins d'être un sot.

Il considéra longuement Cordélia, l'ausculta, se releva et dit :

– Ce n'est pas tout à fait la catalepsie… c'est ce qu'on appelle le «sommeil hypnotique rigide». Ne craignez rien! Nous en viendrons à bout!

Là-dessus, il se pencha sur elle, lui souffla sur les yeux, fit des gestes bizarres, mais pas plus que son confrère de la campagne, n'obtint de résultat…

Seulement, à chaque expérience inutile, il paraissait satisfait.

– Évidemment, évidemment! murmurait-il, évidemment!

Chose curieuse, tout ce qu'il faisait et même tout ce qu'il ne réussissait pas me donnait pleine confiance. Je ne doutais point que, grâce à lui, nous ne dussions sortir bientôt de cette misère.

Il me fit passer dans le boudoir et me questionna longuement. Il me dit qu'il avait interrogé, en route, le domestique, et que celui-ci lui avait parlé de l'état d'esprit assez singulier dans lequel s'était trouvée sa maîtresse quelques mois avant notre mariage. Il me pria de lui dire tout ce que je savais, non seulement comme à un médecin, mais encore comme à un confesseur.

Alors, je lui racontai tout : l'histoire de l'Anglais et l'histoire du portrait et les incidents s'y rapportant et comment Cordélia avait eu «froid à ce portrait».

Il demanda à le voir ; quand il l'eut vu, il me dit :

– Tout le mal vient de là, cela ne saurait faire de doute. Votre femme, monsieur, est sous l'influence de ce Patrick !... mais nous l'en débarrasserons, soyez-en certain !...

– Oh ! monsieur, il y a des mois qu'elle n'a vu ce Patrick !

– Sans doute, monsieur, mais il y a le portrait !... *Par l'entremise du portrait*, Patrick peut beaucoup. Il a renoué avec elle la chaîne par le portrait !

Et, là-dessus, voilà qu'il me narre des histoires d'extériorisation de la sensibilité auprès desquelles celles dont m'avait parlé Cordélia n'étaient que des enfantillages et cela d'un ton si simple et accompagné d'explications si naturelles qu'elles ne m'étonnaient plus !

Ah ! le Dr Thurel avait le don de convaincre !

– Ainsi, fis-je, la sensibilité de ma femme était réellement sur ce portrait.

– En partie, oui, monsieur ! Le corps peut être quelque part et la sensibilité ailleurs. Le corps des voyantes, par exemple, ne bouge pas, leur *personnalité visuelle* est à l'endroit même qu'elles décrivent !… De même, pour votre femme, sa sensibilité avait été transportée sur le portrait *par l'idée* !

– Comment, par l'idée ?

– Oui, la sienne obéissait à celle d'un autre !… Mais elle y était vraiment, l'idée commandant en souveraine à la sensibilité *et pouvant faire produire à la sensibilité tous ses effets…* Le Dr Charcot, notre maître à tous, en a fait publiquement l'expérience en appliquant sur l'épiderme d'un sujet une feuille de papier et en lui suggérant qu'on venait de lui poser un vésicatoire. Immédiatement, tous les effets du vésicatoire se produisaient… la peau se soulevait, etc. Je vous cite cette expérience parce qu'elle est la plus typique… et vous voyez la conclusion que l'on peut en tirer…

Tout à coup, il s'arrêta, regardant fixement le portrait qui était resté dans le boudoir et devant lequel il s'était, lui aussi, extasié comme tout le monde… et il le souleva… et il souffla dessus ! *Il souffla avec force sur les yeux du portrait !…*

… Puis, ayant déposé la toile, il se dirigea sur la pointe des pieds vers la chambre, dont la porte était restée entrouverte, cependant qu'un signe de lui me clouait sur place. Il regarda dans la chambre. Soudain, il retourna vers moi sa face victorieuse.

Il revint me trouver, toujours sur la pointe des pieds.

– Elle se réveille, me dit-il à voix basse… Ne lui parlez de rien… faites semblant de croire à un sommeil naturel… Je n'ai plus rien à faire ici, pendant quelques heures… Je vais me reposer ; ne vous occupez pas de moi ! Occupez-vous d'elle… Ah ! je voulais vous dire aussi : Si vous l'embrassez, *embrassez-la comme un frère.*

– Comment ! fis-je, comme un frère ?

– Oui, oui, soyez doux et bon avec elle *comme un frère* ! Allez !… Mais je ne l'écoutais plus… J'étais déjà sur le seuil… Cordélia avait les yeux grands ouverts et semblait me chercher. Cependant, quand elle me vit, elle parut tout étonnée comme si elle ne s'attendait pas à m'apercevoir là !…

– Tiens ! soupira-t-elle… Te voilà !… Où sommes-nous donc ?

– Mais, chez nous, chère, chère Cordélia !

Je vis soudain ses joues rosir, ses yeux sourire, ses lèvres fleurir…

– Ah, oui, fit-elle, ah ! oui !… Ah ! mon Hector ! *Quelle belle nuit !… Mais pourquoi ne t'es-tu pas couché en rentrant ? Tu n'as pas attrapé froid ? Il faisait frais au bord de la rivière… Quels fous nous faisons !… A-t-on idée d'une nuit de noces pareille sous la lune? Hein? qu'est-ce que je t'avais dit de mon parc? Connais-tu une plus belle chambre d'amour?...*

Je l'écoutais divaguer avec consternation... Ses premiers mots : «Quelle belle nuit! » m'avaient frappé au cœur... Ah! oui! elle était belle, la nuit... et qu'est-ce qu'elle voulait dire avec sa «plus belle chambre d'amour»? Et pourquoi, ayant dit cela, considérait-elle autour de nous, notre chambre à nous, comme si elle la voyait pour la première fois? De quel rêve sortait-elle donc? Je n'eus pas le temps de le lui demander. Sa tête était retombée sur l'oreiller, ses paupières s'étaient refermées et, cette fois, elle reposait paisiblement, naturellement... Ses lèvres expiraient un doux souffle régulier dans un sourire qui eût dû m'enchanter, *mais qui me faisait mal!*... car, enfin, à quoi souriait-elle?... À quoi?... Je n'osais, dans mon désarroi éperdu, me dire à *qui*?... Elle était sortie de son premier sommeil pour retomber dans un autre, sans même me donner le temps de l'embrasser, même comme un frère!... Qu'est-ce que c'était que cette promenade le long de la rivière?... Cette chambre d'amour que je ne connaissais pas?... J'étais de nouveau tout seul! tout seul, à côté d'elle! et je me mis à pleurer pendant qu'elle continuait à sourire... Ah! j'étais bien malheureux!...

Des heures se passèrent ainsi. Le matin arriva enfin.

J'avais posé mon front contre la vitre et je regardais s'éveiller autour de moi la vie de la campagne comme dans une sorte de mauvais rêve. Du reste, tout, maintenant, m'apparaissait rêve, cauchemar.

La nuit que je venais de passer, cette invraisemblable nuit de noces, avait-elle réellement existé? Est-ce que j'en sortais vraiment les yeux éveillés sur les choses de chaque jour? Ces chars qui passaient sur la route n'étaient-ils point seulement des images de chars? J'étais rompu de fatigue et je sentais qu'il me serait, cependant, impossible de m'anéantir dans un repos nécessaire à ma santé physique et morale. Ma pensée douloureuse n'avait jamais été plus active.

Et c'était autour des étranges paroles prononcées par Cordélia, entre ses deux sommeils, que cette pensée tournait, tournait, tournait sans s'arrêter : «Pourquoi ne t'es-tu pas couché en rentrant?» Eh bien! faisais-je en moi-même avec une sourde rancune contre mon imagination hésitante et stupide, eh bien! qu'y a-t-il là de si angoissant? Cordélia a rêvé qu'elle a fait une promenade avec toi, cette nuit, dans le parc! En voilà, une histoire!

Sans doute! sans doute! Ah! je voudrais bien que le Dr Thurel fût réveillé! J'ai besoin de lui parler! J'ai besoin de lui parler!… On l'a logé dans l'aile gauche du château… J'aperçois ses fenêtres aux persiennes closes. En vérité, je ne regarde que ça !…

Derrière moi, Cordélia dort toujours son léger sommeil, en souriant… Je m'en détourne. Non ! non ! je ne comprends pas qu'elle puisse sourire, même en dormant, quand je suis si à plaindre…

Ah ! voilà la fenêtre du docteur qui s'ouvre… je me glisse hors de la chambre. Je traverse la cour, je frappe à la porte

— Docteur, c'est moi !

Il murmure :

— Eh bien ?

— Eh bien ! Elle dort d'un sommeil naturel ! Elle repose le plus paisiblement du monde, comme si rien n'était arrivé.

— C'était à prévoir et tout est pour le mieux !

— Docteur, elle a prononcé des paroles avant de se rendormir.

— Dites-moi bien lesquelles ! Dites-moi bien lesquelles !

Je les lui répétai toutes et, le voyant réfléchir profondément, j'ajoutai :

— Elle se souvenait sans doute d'un rêve qu'elle avait fait lorsqu'elle était en catalepsie !

— Un rêve ! Eh ! eh !… un rêve !… C'est bien possible !… Mais…

— Mais, quoi ?…

— Dame ! Il y a l'autre hypothèse… que l'état de

suggestion indéniable dans lequel se trouve votre femme rend tout à fait plausible…

– Quelle hypothèse?

– Eh bien! nous nous trouverions *tout naturellement* en face du phénomène que nous appelons : extériorisation…

– Je sais! Je sais!… Extériorisation de la sensibilité…

– Pardon! ici, le phénomène de l'extériorisation de la sensibilité se doublerait de cet autre phénomène : *l'extériorisation de la motricité*!…

– Et alors?…

– Et, alors, son moi agissant, son fluide vital, son *aura*, comme disent les thaumaturges, *a pu réellement sortir cette nuit*, faire cette promenade *qui ne serait nullement un rêve*…

– C'est extraordinaire!

– Mais non!…

– Enfin, si elle est réellement sortie de chez nous, comment expliquez-vous qu'elle parle d'une promenade qu'elle a faite avec moi? Je ne suis pas sorti de chez moi, moi! ni en corps, ni en esprit!

– Je vous ai déjà dit, répondit le docteur, qu'il ne s'agit point en l'occurrence… (textuellement, il dit : *en l'occurrence*! et avec quelle tranquillité de savant qui ne faisait qu'augmenter, dans le moment, mon agitation) qu'il ne s'agit point de l'état cataleptique proprement dit, car, alors, elle ne se souviendrait nullement de *ce qu'elle a fait*, mais de l'état hypnotique rigide d'où l'on sort quelquefois avec des souvenirs confus!… ici, évidemment, il y a souvenir confus!…

— Ce qui signifie, m'écriai-je, qu'elle croit se rappeler être sortie avec moi et *qu'en réalité,* pour parler votre langage, elle serait allée se promener avec un autre!… c'est absurde!… c'est absurde!…

— Ou toute seule!… Calmez-vous!…

Il avait beau me dire: «Calmez-vous!» je ne me calmais pas du tout!…

— Docteur, tout ceci me paraît épouvantable!… Est-il bien possible qu'on puisse faire et non rêver tant de choses, alors que le corps est en sommeil?

— Mon pauvre ami! répondit le Dr Thurel, en êtes-vous encore à savoir qu'à l'état de somnambulisme, par exemple, un ignorant peut devenir un savant, peut passer ses nuits à meubler *son polygone* de littératures diverses et, même, à apprendre des langues étrangères! Voilà ce que l'on peut *faire* en dormant!

— Qu'est-ce que c'est que cela: *son polygone*?

— Nous en parlerons une autre fois, jeune homme, cela nous entraînerait trop loin…

— En attendant, il y a une chose que je comprends avant tout! c'est que ma femme est atteinte d'une maladie terrible!…

— Eh! mon ami, ne vous désespérez pas ainsi!…

laissa tomber le docteur d'une voix ferme… *Une maladie de la pensée peut se guérir par la pensée.* Ayez donc confiance en la mienne et conduisez-moi auprès de votre jeune femme…

Cordélia venait de se lever. Je la trouvai enveloppée d'un kimono, les cheveux fous, les yeux encore bouffis de sommeil, en face d'un miroir, se tirant la langue. Dès qu'elle me vit, elle se jeta dans mes bras en s'écriant de sa voix rieuse :

– Ah mon petit mari !

Puis, tout à coup me demanda :

– *Qui est donc dans la chambre à côté ?*

Rien n'avait remué. Le Dr Thurel s'était installé là sans bruit et j'avais refermé la porte… J'étais tellement étonné que je ne répondis pas. Elle continua :

– C'est un de tes amis ? Pourquoi ne me le présentes-tu pas ?

Elle oubliait le lieu, sa toilette sommaire, tout !… Elle marcha vers la porte d'un pas sûr, l'ouvrit doucement, aperçut le vieillard étrange en habit de soirée, ne s'en étonna nullement, lui sourit, et s'avança vers lui, la main tendue.

– Le docteur Thurel, dis-je… C'est, en effet, un ami, Cordélia, le meilleur, le plus sûr des amis !

– Ah ! mais, j'ai entendu beaucoup parler de vous ! dit-elle. Oh ! maître, comme je suis heureuse de faire votre connaissance !…

Et elle s'assit près de lui… Il avait gardé sa main dans la sienne… Maintenant, ses yeux ne quittaient plus ceux de Cordélia et le regard de ma femme semblait rivé au sien.

– Laissez-nous! m'ordonna-t-il dans un souffle, il faut que je lui parle!

Je les laissai seuls et je descendis dans le jardin, en proie à un énervement qui me faisait claquer des dents.

Dix minutes ainsi s'écoulèrent qui me parurent d'une longueur à me faire crier!… Enfin, Thurel apparut. Il était radieux.

– Soyez heureux, me dit le bon vieillard, je crois que je l'ai tout à fait débarrassée de l'idée de *l'autre! Tout de même, il l'avait bien ensorcelée!* Adieu, mon ami!

– Docteur! docteur! m'écriai-je, éperdu, s'il en est ainsi, comment pourrais-je vous en exprimer ma reconnaissance?

– Bah! tenez, donnez-moi le portrait! Je le mettrai dans ma galerie…

Je lui donnai le portrait et Dieu sait avec quelle joie!

Je découvre en Cordélia
une femme nouvelle

En vérité, je crus d'abord n'avoir plus qu'à me réjouir, car, ainsi que me l'avait fait prévoir cet homme admirable, Cordélia, après le départ du docteur, se montra d'esprit libre entièrement normal.

On eût dit que rien d'extraordinaire ne s'était passé. Quand elle descendit dans sa toilette légère et qu'elle se pendit à mon bras avec une grâce confiante qui m'enchanta, le vieux Surdon et Mathilde la félicitèrent de sa bonne mine et me firent entendre par leurs signes qu'ils estimaient que tout allait pour le mieux.

Surdon voulait nous seller Tonnerre et Monarque ou nous atteler la charrette anglaise, pour que nous fissions une bonne promenade avant le déjeuner, mais Cordélia s'y opposa. Son désir était de marcher dans les champs, de se promener à mon bras dans la campagne.

– Nous n'avons pas besoin de chevaux aujourd'hui, me dit-elle en m'entraînant et en me serrant la main doucement. Nous n'avons besoin de personne ni de rien. Ne nous occupons que de nous. J'ai tant de choses à te dire, *maintenant que je suis ta femme* !

Cette dernière phrase fut prononcée d'une voix grave et profonde que je ne connaissais pas encore ; je ne pus m'empêcher de tressaillir en regardant Cordélia.

Ayant dit cela, elle levait vers moi des yeux dont l'expression m'apparut aussi nouvelle que sa voix. J'y lisais, à ne m'y point méprendre, une tendresse et une reconnaissance émues qui me bouleversèrent sans que je susse exactement pourquoi ; du moins, dans le moment, je ne pouvais analyser ce qui se passait en moi, mais ce qui était sûr, c'est que j'étais assez inquiet... En effet, une expression pareille, cet élan d'une créature vers celui qui est *déjà* tout pour elle, cette émotion tremblante et reconnaissante, je m'attendais bien à les trouver un jour chez ma chère Cordélia, mais pas après les heures que nous venions de passer !

Pour tout dire, j'en étais surpris au-delà de toute expression...

La promenade que nous fîmes, la conversation que nous eûmes à déjeuner, le doux abandon avec lequel, penchée sur mon épaule, elle me confia ses projets d'avenir et même ses idées à elle sur l'éducation des enfants, tout cela ne fut point pour effacer en moi cette singulière impression que je me trouvais en face d'une Cordélia nouvelle, qui n'avait plus rien à faire avec la petite fille de la veille. J'en étais tout pâle.

Elle s'en aperçut.

Elle s'inquiéta, à son tour, de mon émoi :

– Mais, mon chéri, qu'as-tu? tu n'es pas malade? Tu ne me réponds rien!

Je l'embrassai dans les cheveux, en lui disant, banalement :

– Je t'adore!

Mon cœur battait à se rompre... Elle l'entendit :

– Je le pense bien que tu m'adores, fit-elle, et du reste, ton cœur me le dit!... Écoute mon cœur à ton tour, toi! et entends comme il t'aime!...

Elle prit ma tête entre ses deux petites mains et la plaça sur sa jeune poitrine battante, d'un geste tranquille de femme qui donne à l'époux ce qui lui appartient.

– Ah! mon chéri! sentir ainsi ses artères, quelle communion!

J'étais anéanti.

Elle continuait, en me caressant les cheveux :

– Quelle nuit! Quelle belle nuit!... Ah! tu m'as comprise toi!... Tu es sublime, mon Hector!...

Je ne sais pas si je lui paraissais vraiment

sublime, mais je me redressai brutalement. Je devais avoir une figure de sauvage! Elle me regarda avec inquiétude…

— Qu'as-tu? Qu'as-tu?

— Rien!… rien!… c'est passé!… un peu de névralgie.

— Ah! mon amour!… c'est la fatigue. Tu n'as pas dormi, toi!…

— Non, en effet, je n'ai pas dormi, moi!…

— Tu aurais dû te coucher, je te l'ai déjà dit, quand nous sommes rentrés de notre promenade dans le parc…

— Ah! oui!… de la promenade dans le parc! Certes! certes!…

— Mais, qu'est-ce que tu as?… Qu'est-ce que tu as?…

— Rien! je te dis… un peu de mal à la tête!…

— Eh bien, sois raisonnable… Il faut aller te reposer, mon chéri!…

Je dus lui céder… Elle me conduisit à la porte de ma chambre. Je me laissai pousser par ses petites mains. Chose inouïe!… Je ne la retins pas!… Elle s'en alla et je me jetai sur mon lit comme une bête se couche. Bientôt, pour cesser de réfléchir à des choses qui me paraissaient ou épouvantables ou absurdes, je m'endormis.

Le soir tombait quand je me réveillai, des plus dispos; j'ai toujours eu un sommeil parfait… Une bonne douche finit de me rendre tout mon sang-froid. Pendant que je dormais, mon oncle était venu. Il arrivait de Caen et repartait le soir même pour Paris. Je vis bien, aux premiers mots qu'il m'adressa, qu'il ignorait tout des événements de la nuit précédente. Surdon et Mathilde voyant que, maintenant, «tout allait pour le mieux», n'avaient pas jugé utile de le mettre au courant... Je ne pouvais que les approuver.

Il était allé faire une courte promenade avec Cordélia, qui, à son retour, me montra la figure la plus heureuse du monde :

— Tu t'es bien reposé, mon chéri ! fit-elle en se jetant dans mes bras... Ce vilain mal de tête est passé !...

Je lui rendis son baiser avec émotion...

Mon oncle souriait, en contemplant cet aimable spectacle. Il voulut me prendre à part pour m'exprimer toute sa satisfaction :

— Eh bien ! qu'est-ce que je disais ?... Te voilà le plus heureux des hommes et elle la plus heureuse des femmes ! *Elle me l'a dit ! Tous mes compliments, gredin !*...

Ah ! je l'aurais tué ! je l'aurais bien tué !... Il ne m'en laissa pas le temps. Il nous embrassa et partit en répétant :

— Sont-ils gentils tous les deux !

Ma seconde nuit de noces

J'ai pris grand soin de traverser à pas lents toutes les étapes de cette étrange histoire, pour que ceux qui voudront nous juger, *après les juges*, en sachent aussi long que moi et que les responsabilités soient définitivement établies entre moi *et le plus grand voleur du monde*! Si l'on me suit pas à pas, on me comprendra et il sera loisible à toute personne de bonne foi et d'intelligence moyenne de mesurer l'immensité de mon malheur.

Mais j'arrive à ma seconde nuit de noces, qui va jeter sur les événements de Vascœuil et sur ceux qui devaient suivre une lumière que d'aucuns qualifieront de surnaturelle et que je suis bien obligé, hélas! après ce que je sais et après ce que mes yeux ont vu, de déclarer la plus naturelle du monde. C'est, du moins, ce que j'affirme aujourd'hui, mais alors je naviguais en plein inconnu, et l'on verra jusqu'où il me fallut aller pour me rendre à l'évidence.

Cordélia désira terminer notre journée comme nous l'avions fait la veille, par un petit dîner intime dans son boudoir et, certes, ce n'est pas moi qui pouvais avoir l'idée de m'y opposer. Tout ce qui me rapprochait de ma femme me donnait l'espoir, sans cesse renouvelé, que j'arriverais à chasser, d'une façon définitive, les mirages qui me séparaient encore d'elle ! J'ai dit *mirages*, car j'en étais revenu là, le second soir où je m'assis à son côté, devant notre table.

Et comment eût-il pu en être autrement, comment ne me serais-je point raccroché à ce mot, si l'on considère une seconde l'abîme où ma pauvre pensée désemparée était restée un instant suspendue, au cours de cette inquiétante journée ? Rappelez-vous !... Rappelez-vous l'attitude trop inattendue d'une Cordélia reconnaissante et tendre. Mirages ! Mirages ! Je vous invoquai comme des sauveurs, ô mirages ! et toi, comme ma moindre ennemie, imagination malade, embrasée, mais *poétique*, de ma bien-aimée, oui, oui, tout cela n'était que de la poésie...

Je voulais m'en persuader.

Et aussi, je ne voulais plus me souvenir que des paroles rassurantes du Dr Thurel : «Elle est débarrassée de l'idée de l'autre ! Elle est guérie ! »

Mon Dieu ! quand je me la rappelle telle que je la vis ce deuxième soir, autour de notre petit gala intime, me servant comme une enfant gâtée, prévenant mes moindres désirs, tisonnant le feu pour que je ne prisse point froid, affectant des grâces souveraines et dominatrices de garde-malade qui nous faisaient pouffer de rire, je ne puis que m'écrier : « La voilà telle que Dieu l'a faite et telle qu'Il me l'a donnée, ma chère, chère, chère Cordélia ! »

Avant qu'elle eût rencontré *le voleur*, c'était une petite femme bien nature, d'esprit clair et joyeux, un peu malicieuse et mutine, mise au monde pour le bonheur d'un mari qui eût fait le sien. Et je vous le dis, moi : il ne s'agissait point d'être un aigle pour faire ce bonheur-là ! Il s'agissait d'être simple et brave homme, du moins je le crois encore et j'attends qu'on me démontre le contraire ! Je m'entends. Il s'agissait aussi de l'aimer. Qui donc l'a jamais aimée plus que moi ? Et qui donc en a été aimé plus que moi ? Est-ce *le voleur* ? Ah, seigneur Dieu !... Dites-moi donc, vous autres qui savez tout, si la colombe qui s'arrête, extasiée, aime l'épervier qu'elle a rencontré sur le chemin du nid ? Mais revenons à notre petit souper.

Je ne sais plus à quel sujet Cordélia se moqua gentiment de moi. J'ai toujours eu très bon caractère. Je me suis toujours laissé taquiner sans me fâcher, comme un bon gros toutou qui se laisse tirer les oreilles par ceux qu'il aime. Vous voyez si Cordélia pouvait s'en donner à cœur joie…

… Mais, tout à coup, je me levai avec un bon air féroce, un excellent air féroce, et marchai vers elle en grinçant des dents, comme si j'avais juré de la manger vivante. Elle se mit à fuir autour de la table, en éclatant de rire. Quant à moi, tout en la poursuivant, je m'efforçai de garder mon sérieux et d'avoir l'air plus terrible que jamais… Elle finit par simuler l'effroi comme je simulais la fureur et si l'on songe que, dans notre course autour des meubles, le léger voile dont ma Cordélia était recouverte se soulevait, s'accrochait et même se déchirait pour me laisser voir quelque beauté nouvelle, on comprendra que ce jeu était devenu le plus joli du monde, si bien que je ne pouvais mieux le terminer qu'en capturant la fugitive et en la serrant dans mes bras.

Elle s'était réfugiée dans un coin de la fenêtre; c'était là que j'allai la chercher. Je la saisis, mais tout de suite, je fus frappé de ne plus l'entendre rire. J'abaissai mes yeux sur son visage. Elle n'avait plus sa figure de petite fille. Elle me regardait avec une émotion grave, mais pleine d'amour, je l'affirme. Je sentais sa jeune poitrine battre sur mon cœur. Je la serrai : en lui donnant les plus doux noms :

– Oh! mon chéri, soupira-t-elle, as-tu vu le parc? Regarde le parc, comme il est beau!…

Et ses yeux ne me regardaient plus. Ils étaient retournés vers le parc qui, à travers la vitre, nous apparaissait, fantomatique, sous la lune. La nuit était d'une clarté, d'une transparence de rêve. Les hauts arbres, déjà dépouillés, se dressaient, tels d'immenses chandeliers d'argent dont les ombres, d'une netteté étonnante, s'allongeaient comme au pinceau sur les pelouses et sur les allées de lumière.

Dans le fond, frissonnait tout le noir mystérieux du parc, où je n'avais jamais pénétré et où regardait la lune immobile, éclatante et froide.

Je voulus détourner la tête de Cordélia de cette vision funeste, je voulus la ramener aux choses de chez nous. Ses petites mains m'écartèrent et elle retourna appuyer son front à la haute fenêtre. On me dira : « Pourquoi ne l'avez-vous pas forcée à quitter cette fenêtre et le spectacle dangereux du parc sous la lune ? » Je répondrai : « Que ceux qui ne comprennent point qu'il y a quelquefois plus de force dans le petit doigt d'une petite fille que dans la patte d'un éléphant cessent de me lire ! »

Voilà ce que je répondrai !

Les savants, ou ceux qui se disent tels, n'ont peut-être pas encore donné un nom à cette vérité « psychique », mais si l'on prenait la peine d'en faire le tour, d'en soupeser la force par $a + b$ et de la décorer de quelque nom en *us* ou en *a*, on s'étonnerait peut-être moins de voir l'*aura* d'une demoiselle à marier obéir à la suggestion d'un pseudo-mage que de constater qu'une masse de chair et d'os de quatre-vingts kilos (exactement à cette époque je pesais soixante-dix-neuf kilos quatre cents) ne pèse pas plus qu'un soupir de nouveau-né dans le creux de la menotte de la demoiselle en question! Oui! Oui! Il est encore là dans toute sa splendeur, le phénomène de la lévitation. Hélas! après ce que j'ai vu, *rien ne pèse que l'esprit*!

J'en ai peut-être manqué ce soir-là. Il n'appartient à personne de me le dire. Dans la vie, on fait ce que l'on peut. Et je ne pouvais rien contre la volonté de Cordélia, qui était de rester auprès de cette fenêtre. C'est alors qu'elle revécut tout haut *sa* nuit précédente et que je me pris à souffrir, en l'écoutant, la plus grande douleur de ma vie. Vous allez comprendre immédiatement pourquoi; du moins, je l'espère.

Sa petite main sournoise était allée chercher la mienne et m'avait ramené près d'elle dans l'auréole lunaire. Elle avait penché sa tête sur mon épaule et nous devions avoir un peu l'air, derrière notre vitre, vus d'en bas, de ces sortes de couples de saints, peints dans les verrières qui décorent et éclairent les absides. Je note cette remarque parce que je la fis alors, ce qui atteste que, dans mon esprit, je nous trouvais un peu ridicules, mais ce qui témoigne par cela même que j'étais absolument dénué de résistance.

Ah! la pauvre chère Cordélia, elle faisait bien de moi, tout, tout, tout ce qu'elle voulait!

— Allons nous promener dans le parc comme hier, veux-tu mon chéri?

— Allons, Cordélia, allons.

— Suivons cette allée… (Nous ne bougions pas.) Prenons par les peupliers!… (Ici des phrases très curieuses sur la chanson des peupliers, quand le vent souffle dans la ramure…) Suivons le bord de l'eau. (Encore des phrases singulières, découpées en strophes, sur le cœur flottant du nénuphar et sur les petits berceaux des fées qui se promènent sur la rivière.) C'est par ce sentier que nous arriverons à la chambre d'amour!

— Quelle chambre d'amour? ne pus-je m'empêcher de demander.

— Tu sais bien, mon chéri! la chambre que le bon Dieu a faite pour nous, tout en or, tout en or?

Et, là-dessus, elle me fait une description complète de la chambre tout en or. Je ne saurais reproduire exactement les termes mêmes dont se servit Cordélia pour me parler de cette chambre. À partir de ce moment, du reste, son langage sembla quitter la terre et même le terre-à-terre pour devenir une sorte de musique propre à l'entendement des anges ou encore des poètes, qui ne sont jamais embarrassés pour trouver un sens aux mots les moins usités dans la conversation. Quoi qu'il en fût de cette idéale mélodie déversée par les lèvres de ma bien-aimée, mon bon sens naturel ramena à de justes proportions le palais de rêve dans lequel l'imagination de Cordélia me promenait depuis quelques instants. Je compris que cette chambre, tout en or, n'était rien de moins ni rien de plus que quelque petite clairière en forme de berceau, abritée de beaux arbres à demi dépouillés et qui avaient étendu entre eux sur la terre le riche et épais tapis de leur feuilles jaunies par l'automne.

Ce qui commença ma peine cruelle dans l'occurrence fut que toute cette poésie, qui accompagna la promenade dans la chambre en or se débita en anglais. Cordélia et moi, nous savions parfaitement l'anglais, mais nous n'en usions jamais entre nous ! Mon douloureux étonnement arriva à son comble quand Cordélia, le plus sérieusement du monde, me demanda de lui réciter comme je l'avais fait, paraissait-il, la veille, dans la chambre en or, des strophes de *Lara* et du *Corsaire*. Je devais ouvrir des yeux stupides, car Cordélia, se faisant plus pressante, me dit :

– Allons ! Allons, mon chéri, ne te fais pas prier ! Dépêche-toi ! C'est si beau, si touchant, si magnifique ! Et puis, tu finiras par les adieux de Childe Harold à sa patrie, tu sais : « *Adieu, adieu my native*

shore... Adieu, adieu, my little page!...» et pendant
ce temps moi, comme hier, je poserai ma tête sur ton
sein pour entendre ta voix charmante dans ta poi-
trine!

Ce qu'elle fit, du reste, aussitôt... mais je lui
relevai la tête entre mes mains tremblantes et la for-
çai à regarder mon visage qui, sans doute, était trou-
blant à voir, car elle s'inquiéta tout de suite :

– Mon Dieu, qu'as-tu?

– Ce que j'ai, Cordélia? J'ai cette chose bien
simple que je n'ai jamais su par cœur un vers de
Byron ni d'aucun autre, que je n'ai jamais lu *Lara*
ni le *Corsaire*, ni *Childe Harold*!

– Qu'est-ce que tu dis? Qu'est-ce que tu dis?

– *Je dis que ce n'est pas moi qui suis allé avec toi*
dans la chambre en or!...

– Tais-toi, malheureux, tais-toi!

– Je dis que ce n'est pas sur mon sein que tu as
posé ta tête, ô Cordélia!...

Je m'arrêtai. C'était elle, maintenant, qui m'effrayait, c'était son aspect qui me remplissait
d'épouvante. Ses yeux me fixaient avec une lueur
étrange, comme si elle me découvrait tout à coup.
Sa bouche râlait une plainte désespérée et tout à
coup laissa échapper ce cri d'une âme à l'agonie et
qui tente de se rattacher aux choses de la terre :
Sauve-moi, Hector! sauve-moi!

Oui, elle l'a poussé et poussé vers moi ce cri

suprême qui prouve qu'elle était à moi, à moi seul, vous dis-je, qu'elle n'a jamais été qu'à moi ! *Le voleur* aura beau dire, il n'est qu'un *voleur* ! Il a eu beau faire le superbe en cour d'assises, tout le monde a bien compris quand il *disait que ce cœur était à lui* ! Il l'avait cambriolé, lui ! Quelle infamie !

À cet appel déchirant de Cordélia : «Sauve-moi, Hector, sauve-moi ! » je répondis par un transport de souveraine allégresse ! Oui, certes ! mon amour la sauverait de tous ces affreux mirages ! Mes bras puissants n'eurent point de peine, cette fois, à l'arracher à cette maudite fenêtre. Elle ne pesait pas plus dans mes bras qu'une plume. Sa tête, aux cheveux dénoués, roulait adorablement sur mon épaule. Ce mélange d'effroi et d'amour qui était peint sur ses traits m'enivrait avec une force singulière. Je crus bien être, enfin, le maître de cette magnifique détresse amoureuse et frissonnante, et j'appuyai mes lèvres sur les lèvres de Cordélia…

Il m'apparut aussitôt que je l'avais tuée et que j'embrassais une morte…

Comme la veille, je ne tenais plus dans mes bras qu'une statue.

La chambre en or

Cette fois, je n'appelai personne. J'étais entrepris par une rage froide, par un désespoir sombre, qui n'avaient point besoin de témoins. Je transportai Cordélia sur le lit de notre chambre et, là, je la contemplai en me mordant les poings de rage impuissante.

Je me rappelai tout ce que le Dr Thurel avait dit de cet état où je voyais ce corps immobile et je ne doutai plus, après tout ce que j'avais entendu dans la bouche de Cordélia, que l'esprit qui, tout à l'heure, animait cette matière maintenant inerte, ne *fût parti pour ailleurs* !

Pour où ? Était-il difficile de le deviner ? Dans le moment même qu'il m'avait fui, ne se dirigeait-il pas déjà à tire-d'aile vers cette chambre d'amour que je ne connaissais pas et où il semblait qu'une force indépendante de sa volonté et de la mienne

l'attirât avec une puissance que j'avais tenté vainement de briser avec un baiser!

Bien mieux, ne paraissait-il point qu'il avait suffi
que mes lèvres joignissent celles de Cordélia pour
que la catastrophe de la veille se renouvelât immédiatement?

Je me rappelai alors, dans l'irritation croissante
de ma pensée en flammes, les étonnantes paroles du
Dr Thurel : «Surtout, n'embrassez votre jeune
femme que comme un frère! » Que voulait dire
ceci? Je tremblais d'horreur et du plus terrible
dépit! Fallait-il comprendre que chaque fois que ma
bouche s'approcherait de celle de Cordélia, j'aurais
à redouter l'affreux phénomène et que ma chère
femme ne serait plus qu'un morceau de pierre entre
mes bras inassouvis?

À cette idée qu'une si diabolique suggestion fût
dans les choses possibles, une fureur gigantesque
galopa dans mes veines et je me sentis capable d'un
crime contre celui qui était responsable de cette
suggestion-là, contre le misérable qui me faisait
souffrir mille morts sans compter l'affreux ridicule
qui s'attachait à une situation maritale aussi excep-
tionnelle que la mienne! De cela, je me rendais parfaitement compte aussi et je ne manquai point de
puiser dans ce sentiment une force de vengeance
qui finit de me transporter!

Tant est que, ne pouvant me résoudre à rester

plus longtemps spectateur impassible et inopérant d'une scène qui ne m'offrait que l'image d'un corps sans vie, je courus vers cet endroit où je savais que dans le moment même l'esprit de Cordélia se promenait avec *la pensée d'un autre* !

Et, quelques minutes plus tard, je franchissais, dans le grand silence de la lune ennemie, et qui voyait, peut-être, elle, des choses qui restaient inaperçues de mes yeux de chair, cette ligne des grands arbres qui formaient comme un rideau au bord du parc et où je n'avais jamais pénétré.

Sitôt franchi ce rideau, je me trouvai dans une futaie si curieusement enchevêtrée que je ne sus d'abord par où la prendre ; et je me rappelai les mots avec lesquels Cordélia en parlait quand elle me la dépeignait : pleine de malice pour ceux qui ne la connaissaient pas et accueillante seulement aux amis des bois et de la solitude. Je n'étais, certes, pas un ami de ces bois, car, malgré toute la peine que je me donnais, je ne parvenais point à m'en dépêtrer et je n'avançai guère. La futaie m'accrochait de partout et me retenait de ses mille petits bras ou encore me piquait sournoisement de ses aiguilles. Ah ! la chambre d'amour qui se trouvait au fond de tout cela était bien défendue !

Cordélia, dans ses propos inconscients, m'en avait, du reste, suffisamment averti. Tout de même, avant de s'y rendre en esprit, je savais qu'elle y était allée plus d'une fois, en chair et en os, sans quoi je m'imaginais comme un sot qu'elle ne me l'aurait pas si bien décrite. Encore une idée sur laquelle je suis bien revenu depuis.

Enfin, par où pouvait-on bien passer ? Je me rappelai, soudain, que la chambre d'amour était bordée par la rivière. Textuellement, Cordélia disait : « Dans la chambre d'amour, il y a la grande glace de la rivière, tout encadrée d'or et toute rétamée d'argent par la lune. On s'y voit des pieds à la tête. Grâce à elle, on n'est jamais seule. Quand on croit être un, on est deux quand on croit être deux, on est : quatre. Il faut bien faire attention ! »

Alors, je me dis : « En suivant la berge de la rivière, je serai sûr d'arriver à la chambre d'amour », et j'allai rejoindre cette berge par l'allée de peupliers.

Je n'eus d'abord qu'à me louer de mon idée, et mon chemin, pendant quelque temps, se trouva tout tracé. Ma marche, cependant, commença de se ralentir quand j'eus laissé dernière moi les peupliers, et j'eus bientôt de graves difficultés à surmonter pour suivre la rive. Tout chemin avait disparu et je dus m'aider des branches des saules pour ne point choir dans l'eau.

L'Andelle, qui coule à Vascœuil, est une rivière bien modeste. On ne saurait en user pour le halage, et ses bords ne sont fréquentés que par de rares pêcheurs, qui viennent surtout goûter là les joies de la solitude entre les roseaux.

Telle quelle, elle coulait, cette nuit-là, avec tant de grâce paisible entre ses rives délicates, mirant si coquettement les petits chignons argentés de ses buissons aquatiques au sein d'une nature sauvageonne où tout n'était que sourire, grâce et volupté – (la lune elle-même me souriait étrangement dans la rivière) – que je fus moi-même, en dépit de l'horreur funeste qui m'agitait, frappé par tant de charme et que je suspendis un instant ma course pour m'écrier du fond du cœur : «Je te comprends, ô Cordélia! »

Qu'est-ce que je comprenais? Qu'est-ce que je comprenais? En vérité, allais-je devenir malade, moi aussi? Était-ce donc une chose si surprenante, ce parc, sous la lune, que mon esprit dût en rester à jamais frappé et que je dusse préférer, pour la nuit de mes noces, cette retraite sauvage au doux nid moderne, qui m'avait coûté bel et bien cinq cents louis chez W... de la place Vendôme!...

Tout de même, ressaisissons-nous!

Enfin, où était-elle cette chambre d'amour?... Tout à coup, je l'aperçus de loin ou, plutôt, je la devinai. C'était bien cette sorte de rotonde qui devait se présenter le jour ou au crépuscule, comme un berceau d'or rouge, miracle de l'automne, au bord de l'eau murmurante...

Aussitôt, je m'avançai avec de grandes précautions... je me glissai sans bruit entre les herbes et les branches, comme l'homme du Far West sur la piste de guerre ; je ne sentais plus la piqûre des épines, *je retenais ma respiration...*

Tout cela, tout cela pour surprendre deux esprits qui s'étaient donné rendez-vous dans une clairière !

Je ne sais si vous pouvez vous rendre compte de l'énormité de la chose ; quant à moi, j'accomplissais ces gestes à la fois de la façon la plus inconsciente et la plus naturelle. Comprenez par là que je ne raisonnais en rien, mais qu'obéissant à ce mouvement spontané qui m'avait jeté à la poursuite de l'esprit fugitif de Cordélia et subissant en même temps l'influence des explications bizarres, quoique scientifiques, du Dr Thurel, j'agissais en tout et pour tout comme le plus ordinaire des maris trompés et que je m'attachais à ne commettre aucune imprudence qui pût avertir les coupables et m'empêcher d'atteindre la preuve de mon malheur !

Sous quelle forme cette preuve, allait-elle m'apparaître ? Certes, je n'en savais rien et je ne me le demandais même pas, mais je doutais si peu que j'allais être renseigné là-dessus par un de ces phénomènes psychiques, dont l'illustre maître m'avait bourré la cervelle, que je fus parfaitement désemparé lorsque je pénétrai, enfin, sournoisement, et à quatre pattes, dans la chambre d'amour, de n'apercevoir que le vide, c'est-à-dire une atmosphère transparente et nette comme le cristal, traversée de rayons de lune éclatants qui avaient fait de la chambre tout en or une chambre tout en argent!

Elle n'en était pas moins belle, mais je vous prie de croire que le paysage et la grâce de ce berceau champêtre étaient, dans cette minute, la moindre de mes préoccupations. Le vide et le silence! Je me relevai et restai quelques instants haletant devant ce néant.

Le vide et le silence! *Et ils étaient peut-être là!*

Et moi, avec les yeux de chair, je ne pouvais les voir! C'était effrayant!

Je regardais stupidement les choses : j'en fis le tour, glissant dans l'ombre des arbres comme une ombre moi-même à la recherche de deux ombres!

Tout à coup je me mis à rire! Je me trouvais monstrueusement bête!

Mais, alors, si je me trouvais si parfaitement insensé, pourquoi mon rire était-il si incomplet, pourquoi s'était-il arrêté tout à coup au fond de ma gorge sèche, dans le moment qu'un peu de lumière et un peu d'ombre avaient tremblé au-dessus d'un vieux banc de pierre moussue au fond du berceau? Pourquoi m'avançai-je vers ce banc, penché et *fermant les poings*? Qu'est-ce que je voulais faire avec mes poings, mes gros poings de boxeur poids lourd? Battre la lumière? Ficher une pile à un rayon

de lune?... Misère de ma vie et de la vie univer-
selle! Pourquoi y a-t-il des gens qui voient et
d'autres qui ne voient pas? Il me semble que si je
voyais, j'aurais moins peur! car, maintenant j'ai
peur!... De quoi?... Eh bien, *de ce que je vais voir*,
car si je ne vois pas encore, j'entends!

Le voleur

J'entendais une sorte de murmure, une sorte de doux murmure. Cela était encore lointain, mais assurément, cela était humain et cela se rapprochait… mais se rapprochait sans faire aucun autre bruit… et c'est bien cela qui m'épouvantait !… Je m'attendais à entendre craquer des branches, des feuilles mortes sous le pas de ceux qui venaient ; mais rien, dans le grand silence de la nuit pâle, que ce murmure humain qui semblait flotter dans l'air, non loin de moi, et qui se rapprochait, se rapprochait. Je ne pensais plus au banc, je l'avais quitté. La voix très douce, très claire, devenait de plus en plus distincte, si distincte, que je crus bien saisir quelques syllabes qui me firent frissonner de la tête aux pieds et me rejetèrent dans la futaie pour m'y dissimuler.

En hâte ! en hâte ! car la voix se rapprochait de

plus en plus. Elle semblait, maintenant, portée par l'eau, et, instinctivement, je me tournai vers la rivière. Un mot, un mot terrible – je ne distinguais que ce mot-là – m'arrivait, porté par l'eau – et c'était un mot anglais : *love*, qui veut dire amour.

Je n'étais pas loin de la berge ; je vis, soudain, les roseaux s'incliner, les cœurs innombrables des nénuphars s'écarter sur la nappe d'argent et une nacelle glisser silencieusement jusqu'au bord de la chambre d'amour.

Dans cette embarcation légère, il y avait un homme que je reconnus tout de suite au battement furieux de mon cœur, puis à ses yeux étranges, ses yeux de chat mélancolique qui semblaient éclairer son visage pâle. Je le reconnus aussi à d'autres détails ; il avait ce vêtement flottant très ouvert sur la poitrine, retenu plus haut que la taille par une martingale, ce même vêtement que le soir où je l'avais aperçu pour la première fois. Et il était nu-tête comme ce soir-là, les cheveux rejetés en arrière, découvrant ce haut front d'ivoire qu'il avait appuyé à la grille…

Mon premier mouvement fut de me précipiter sur lui. J'avais toutes sortes de raisons pour régler définitivement mon compte avec ce personnage. Sa présence dans mon parc, chez moi, me donnait tous les droits. Elle mettait le comble à son audace et à son forfait d'amour. Elle expliquait le plus naturellement et le plus criminellement du monde les phénomènes atroces dont ma pauvre chère Cordélia était la victime ! Si l'intervention du Dr Thurel avait été vaine, *c'est que la cause du mal était toute proche,* rôdant autour de nous, rôdant autour d'*elle* !... Depuis deux jours, le misérable n'avait pas dû quitter cette inextricable retraite ou n'en était sorti que pour se rapprocher de Cordélia, la prendre, la surprendre, la reprendre d'un regard qui pouvait tout pénétrer, et l'emporter avec lui, comme un voleur ! comme un voleur ! au fond de sa tanière.

Hélas ! Hélas ! cette nuit-là, que n'en ai-je fini alors avec le cambrioleur du cœur de Cordélia ? Car il était bien là, en chair et en os, lui ! Et Dieu sait ce que je pouvais en faire avec mes poings, malgré ses grands yeux de chat mélancolique !

Or, voici comment les choses se passèrent. Il venait d'abandonner les rames et de se lever dans la nacelle et, effectivement, j'allais me jeter sur lui, quand je l'entendis prononcer cette phrase : *My love, I am yours with all my heart* (Mon amour, je suis à vous de tout mon cœur), puis, *se penchant vers le fond du bateau*, il continua : *There is nothing I would not do for you.* (Il n'y a rien que je ne fasse pour vous.)

À qui s'adressait-il ainsi ? Il était seul, tout seul dans le canot.

Allons, allons Hector ! Tu le sais bien à qui

Patrick adresse de telles phrases, de si douces et complètes phrases d'amour, qui ne laissent quant à leur sens rien à deviner!… À qui Patrick dit-il : *My love*, à qui?… Ne regarde pas plus loin! *Elle* est près de lui! Il se penche sur elle, pour lui murmurer de telles phrases qu'elle entend aussi bien que toi!… *Car elle est là!* Tu ne la vois pas?… Tu ne la vois pas?… Tout de même, tu sais bien qu'elle est assise au fond du canot!…

Eh bien, non, je ne la voyais pas! En vérité, en vérité, je faisais tout mon possible pour la voir, *car je sentais que l'autre la voyait*, mais je n'ai pas les yeux de l'autre! Seulement, il n'y avait pas à douter qu'elle fût là!… Il n'y avait qu'à regarder l'autre! Et à l'écouter!

Il faisait le beau, avec des effets de torse, il se relevait, puis s'asseyait à côté d'elle, avec des grâces… Je le trouvais grotesque, hideux. Je plaignais sincèrement Cordélia d'être obligée d'écouter un pareil raseur! À un moment, il lui récita des vers! Quel cabotin!…

Tout à coup, il se rassit, se pencha sur le côté et arrondit le bras comme s'il le lui glissait autour de la taille. C'était plus que je ne pouvais en supporter. Je me décidai à mettre fin à cette sinistre comédie, mais un spectacle nouveau me cloua sur place. *Maintenant, je la voyais, elle!*

Enfin sachez ce que je vis et comprenez-moi

bien. J'écris tout ceci pour l'enseignement du monde et pour soulager ma conscience et aussi pour arriver, autant que possible, à voir tout à fait clair au fond de cette terrible histoire ; c'est pourquoi je ne voudrais pas en dire plus que ce que j'ai vu, ni que l'on dépassât ma pensée dans l'interprétation de mon témoignage écrit, ni autant que possible, que l'on restât en deçà.

Oui, je supplie celui qui me lira de ne pas avoir plus peur que moi dans ce voyage extrêmement inquiétant au bord extrême de l'abîme psychique, *sans quoi, il n'y a pas de progrès possible pour l'humanité* !

Que cette épouvantable histoire d'amour serve au moins à quelque chose ! Que le *monde apprenne une fois pour toutes ce qu'il en peut coûter de rester un poids lourd, hermétiquement clos dans son volume de chair,* devant l'esprit qui se promène, léger, impalpable ou, tout au moins, insaisissable comme une poignée d'eau !

Écoutez ! L'homme s'était redressé dans la barque, la tête toujours inclinée sur le côté et le bras toujours arrondi autour d'une taille que je ne voyais pas ! Car je ne voyais que lui dans la barque, lui et ce geste galant qui m'avait mis en fureur. Mais si je ne voyais qu'une personne dans la barque, *je les voyais tous les deux dans le miroir de l'eau !*...

Oui, dans le léger remous produit par le balancement de la nacelle, sous la clarté lunaire, j'apercevais le couple *qu'ils* formaient, debout dans la barque!

Était-ce une illusion! un trouble de la vue! un jeu de mes sens? Encore, aujourd'hui, après avoir ramassé, tassé mes souvenirs, je suis bien obligé de dire: «Non! non! cela n'était pas une illusion! J'ai vu! j'ai vu!... J'ai vu le reflet de la barque dans l'eau et au-dessous, toujours dans l'eau, Patrick et Cordélia, appuyés l'un sur l'autre.»

Je suis sûr de cela, parce que si mes yeux, après avoir vu la double image dans l'eau, et être allés à nouveau chercher sa réalité dans la barque, ne trouvaient plus que Patrick tout seul, avec son bras arrondi et sa tête penchée, en revanche, quand ils retournaient à l'eau, ils retrouvaient la double image!...

Je précise ces choses parce qu'il y a là, certainement, un phénomène qui joint de façon singulièrement intéressante la physique et la psychie. Je le donne à étudier aux savants qui s'essaient à surprendre toutes les formes de la Force au fond des laboratoires...

De toute évidence, mon regard traversait l'*aura* de Cordélia, debout, dans l'atmosphère, sans en être le moins du monde impressionné; mais, par contre, il pouvait en saisir les contours (un peu flous, je l'avoue, mais certains tout de même) en se posant sur cette partie de l'eau qui en avait arrêté l'image comme la plaque photographique avait arrêté l'image de Kattie King lors des fameuses expériences d'un des plus illustres savants du siècle dernier, j'ai nommé William Crookes.

Vous pensez bien que ces curieuses et scientifiques réflexions que je note ici au passage ne me vinrent que par la suite et que, dans le moment, j'étais beaucoup plus occupé par ce que me montrait le phénomène que par l'explication à trouver du phénomène lui-même. Je ne pus, malheureusement, retenir le cri de mon courroux, lorsque je vis, dans la glace de l'eau, le plus grand voleur du monde déposer un baiser sur le front de ma bien-aimée… Aussitôt le phénomène disparut, c'est-à-dire qu'il ne resta plus sur l'eau que le reflet de Patrick… l'image de Cordélia s'était enfuie, pendant que j'entendais le misérable lui crier : *Remember! Remember!* (Souviens-toi! Souviens-toi!)

Arrêt
sur
lecture 2

Dans cette deuxième partie, nous voyons Cordélia perdre le contrôle d'elle-même, et Hector engager la lutte contre son adversaire, Patrick. Nous consacrerons cette deuxième pause à essayer de mieux cerner la nature de ce personnage, dont la composition s'inspire de différents mythes littéraires.

Patrick, le rival

Du côté du romantisme anglais

Au cours de sa «seconde» nuit de noces et sans quitter le manoir qui les abrite, Cordélia prétend conduire son mari jusqu'à la «chambre en or» où elle se souvient d'avoir vécu avec lui, la veille, un long moment d'intimité. Soucieux de ménager la jeune femme, Hector n'ose la contredire, tant il craint de la voir se transformer en statue. De plus, son esprit curieux le rend avide de saisir les tenants et les aboutissants de l'histoire dans laquelle il se trouve impliqué. Mais Hector va de surprise en surprise :

> Mon douloureux étonnement arriva à son comble quand Cordélia, le plus sérieusement du monde, me demanda de lui réciter comme je l'avais fait, paraissait-il, la veille [...] des strophes de *Lara* et du *Corsaire*.

Hector est d'autant plus étonné que, bien qu'ils connaissent parfaitement l'anglais, le couple n'use jamais de cette langue dans ses conversations. Hector, qui plus est, « n'[a] jamais su par cœur un vers de Byron ni d'aucun autre », il « n'[a] jamais lu *Lara* ni le *Corsaire*, ni *Childe Harold* » ! Il lui faut encore une fois déchiffrer l'énigme qui s'offre à lui.

Une source byronienne

Qui est George Gordon Byron ? Poète anglais (1788-1824), il fut l'inventeur d'un certain romantisme, qui lui fit connaître une immense gloire, en Europe comme en Amérique. Son œuvre vaut pour ses qualités d'écriture, mais surtout pour le type de héros (ou d'anti-héros) qu'il y décrit, à travers lequel il s'exprime et auquel, sans doute, il voulut ressembler. Victor Hugo note à son propos :

« Tous ses ouvrages sont profondément marqués du sceau de son individualité. C'est toujours une figure sombre et hautaine que le lecteur voit passer dans chaque poème comme à travers un crêpe de deuil. Sujet quelquefois, comme tous les penseurs profonds, au vague et à l'obscurité, il a des paroles qui sondent toute une âme… **»**

Cordélia fait référence à un poème intitulé *Childe Harold*, dont les deux premiers chants, parus en 1812, comptèrent parmi les premières publications de lord Byron (traduction d'André Maurois) :

« Jadis en l'île d'Albion vivait un jeune homme,
Qui ne trouvait point de charme aux voies de la Vertu ;
Il passait tous ses jours en débauches les plus folles,
Et choquait de ses plaisirs l'oreille langoureuse de la Nuit.

… Childe Harold était son nom : – mais d'où venait ce nom ?
Quel était son lignage ? Il ne me convient pas de le dire.
Qu'il suffise de savoir que c'était un grand nom,
Et qu'il avait été glorieux en d'autres temps…

… Mais avant d'avoir parcouru le tiers de sa vie,
Le Childe éprouva pire que de l'adversité ;
Il sentit le dégoût de la satiété ;
Alors il eut horreur de son pays natal…

… Car il avait parcouru le long labyrinthe du péché,
Et il n'avait pas fait pénitence pour ses fautes ;
Il avait soupiré pour bien des femmes mais n'en avait aimé
   qu'une :
Bien-aimée qui, hélas ! ne pouvait être à lui ! »

Un clin d'œil à Dom Juan
Dom Juan avait fourni le premier modèle du « grand seigneur,
méchant homme ». Childe Harold lui ressemble. Croyant chasser
l'ennui – qui le navre et l'obsède depuis l'enfance – en se livrant
à toutes sortes de débauches, il voyage beaucoup, de préférence en Italie, où il cultive un goût décadent pour ce qui est
fané, maladif, exquis. La « communication des âmes » sera bientôt seule en mesure de l'extraire, par moments, de la somno-
lence dans laquelle son être corrompu est plongé, et que
favorise secrètement, sans doute, l'usage de drogues telles que
le tabac, l'éther ou l'absinthe.

Beaucoup de personnages de la fiction romantique ont été bâtis sur le modèle de Childe Harold, comme ceux d'Edgar Allan Poe. Patrick lui-même présente des traits de caractère similaires : l'artiste sombre, mystérieux, sorti de nulle part, venu voler un cœur… En faisant évoquer à Cordélia ce personnage mythique de la littérature, Leroux nous met sur la piste : le visage de Patrick se dessine doucement en transparence.

Le démon intérieur

Abriter un démon en soi

Le XVIIIe siècle a vu le déclin de l'autorité religieuse et, avec elle, de la croyance en l'existence distincte et personnelle de Satan. Le diable ne disparaît pas pour autant de l'imaginaire collectif. Il arrive qu'on le regarde désormais comme la personnification symbolique du Mal que chacun abriterait dans le secret de son âme. Cette intériorisation du principe démoniaque a donné naissance à une littérature romanesque, où elle s'exprime à travers le thème du double. *Le Cœur cambriolé* relève de cette tradition, mais il faudra parvenir aux tout derniers chapitres pour que la nature des rapports qui unissent Hector et Patrick nous soit révélée. Car les deux personnages s'opposent et se confondent tour à tour.

D'autres figures démoniaques héritées des traditions païennes trouvent également leur place dans le récit. Les vampires sont du nombre. Avec sa façon d'arracher Cordélia à elle-même, en venant la quérir au milieu des siens, pour se repaître de son âme et la rendre dépendante de lui, Patrick s'apparente incontestablement à cette terrible communauté. Il ne diffère de ces créatures que par sa capacité à opérer à distance, ce qui le rend plus complexe.

Ambiance macabre et figure effrayante, le comte Dracula, célèbre vampire, est prêt à s'offrir une nouvelle victime, sucer son sang et dévorer son âme !

Le docteur Thurel

L'idée d'une « médecine des âmes » prend corps au début du xxe siècle. L'époque est marquée par le développement des travaux de l'école française de psychiatrie, et par la naissance de la psychanalyse, créée par le médecin viennois Sigmund Freud. Le cas de Cordélia eût intéressé ce dernier, qui aurait su la guérir d'une souffrance intérieure, née dans son propre psychisme – ce que Freud désigne comme l'inconscient –, plutôt que grâce aux hypothétiques pouvoirs d'une personne extérieure.

Médecins et sorciers – Dans le *Dracula* de Bram Stoker (1897), c'est un médecin, le professeur Van Helsing, d'Amsterdam, qui tient le rôle principal. Il agit à la manière d'un détective, occupé à élucider le mystère d'un crime métaphysique, et complotant, à la tête d'un petit nombre de disciples, pour débarrasser l'humanité de la présence importune du vampire. Chez Stoker comme chez Leroux, le personnage du médecin ne s'inspire pas seulement des développements de la science ; il hérite d'une longue tradition de sorciers et de charlatans, officiant dans les campagnes comme dans la haute société.

Un docteur de comédie – Stoker fait de Van Helsing une figure presque aussi inquiétante que Dracula lui-même. En revanche, dans le récit de Leroux, c'est l'humour qui l'emporte. À peine voyons-nous apparaître le bon docteur Thurel au chevet de la malade, que d'amusants souvenirs du théâtre de Molière nous reviennent à l'esprit. Hector a passé une nuit blanche, il place ses chétifs espoirs dans l'intervention de l'éminent praticien. Celui-ci ausculte la jeune femme, se relève et dit :

> – Ce n'est pas tout à fait la catalepsie… c'est ce qu'on appelle le « sommeil hypnotique rigide ». Ne craignez rien ! Nous en viendrons à bout !
> Là-dessus, il se pencha sur elle, lui souffla sur les yeux, fit des

gestes bizarres, mais, pas plus que son confrère de la campagne, n'obtint de résultat…

Seulement, à chaque expérience inutile, il paraissait satisfait.

– Évidemment, évidemment ! murmurait-il, évidemment !

Chose curieuse, tout ce qu'il faisait et même tout ce qu'il ne réussissait pas me donnait pleine confiance. Je ne doutais point que, grâce à lui, nous ne dussions sortir bientôt de cette misère.

L'attitude décrite évoque irrésistiblement celle de Sganarelle dans *Le Médecin malgré lui*, notamment dans le piquant dialogue que ce personnage noue avec Géronte (II, 4) :

« SGANARELLE. – Ah ! ne vous mettez pas en peine. Dites-moi un peu, ce mal l'oppresse-t-il beaucoup ?

GÉRONTE. – Oui, Monsieur.

SGANARELLE. – Tant mieux. Sent-elle de grandes douleurs ?

GÉRONTE. – Fort grandes.

SGANARELLE. – C'est fort bien fait. Va-t-elle où vous savez ?

GÉRONTE. – Oui.

SGANARELLE. – Copieusement ?

GÉRONTE. – Je n'entends rien à cela. »

Les explications que fournit ensuite le docteur Thurel évoquent, elles aussi, les procédés bouffons dont use Sganarelle. Hector et lui décrivent l'état de la malade dans un dialogue apparemment savant mais incompréhensible, qui ne permet pas de l'éclairer davantage (p. 135) :

Voyagez et soyez patient, jusqu'à l'heure où vous vous sentirez vous-même *assez maître de son O pour que vous n'ayez plus rien à redouter de son polygone.*

à vous...

1 – Résumez, en quelques propositions simples, les prétendues «explications» du docteur Thurel.

2 – Relevez, dans la description du parc (de la page 112 à la page 116), les indications qui nous font penser que le narrateur n'en a pas une vision objective.

3 – Le poème de lord Byron, cité au chapitre 10, et qui commence par «*Adieu, adieu my native shore...*», existe bien. Recherchez-le, sur Internet ou dans votre CDI.

4 – Parmi les peintres français et étrangers de l'époque, lesquels, selon vous, auraient été les mieux capables d'illustrer la vision de la barque? Consultez des ouvrages d'art. Photocopiez, si vous le pouvez, ou notez la référence d'une œuvre dont le climat vous paraît proche de ce «tableau».

5 – Mathilde et Cordélia sont d'anciennes camarades. Elles se sont connues au collège et, depuis, elles n'ont jamais cessé d'échanger leurs plus tendres secrets. Ainsi, Mathilde n'ignorait-elle pas l'attachement de Cordélia pour Hector, mais elle savait aussi que son amie avait rencontré un artiste nommé Patrick, qui prétendait «peindre les âmes». Cordélia lui avait annoncé son mariage, mais à la suite de cet événement, elle ne lui a pas écrit. Elle le fait à présent, de sa chambre d'hôtel, à Rome... À vous de prendre la plume et de rédiger cette lettre.

13

Le bonheur que la main n'atteint pas n'est qu'un rêve

Je n'étais pas arrivé à la berge que Patrick lui-même et la barque qui le portait échappaient à ma vue, derrière les roseaux qui se refermaient sur lui. La rivière, à quelque cent mètres de là, faisait un coude et sortait du parc. Je n'avais aucun espoir de rejoindre mon homme et, après quelques vaines injures à son adresse, auxquelles il ne répondit pas, je retournai au château le plus vite que je pus.

Je courus réveiller Surdon, lui dire que *l'Anglais* était dans le parc et lui commandai de prendre son fusil. Il me comprit sans plus.

– Ne le tue pas, autant que possible, fis-je, mais fais-lui passer le goût de Vascœuil !…

– Monsieur peut compter sur moi.

Et il ajouta :

– Tout s'explique.

– Oui, Surdon, tout s'explique !

Là-dessus, je montai à la chambre de Cordélia. Elle venait de se réveiller. Cela ne m'étonna point. «*Sais-tu d'où tu viens?*» lui demandai-je, mais elle ne sut rien me répondre : cette fois, elle ne se souvenait de rien; en tout cas, elle n'en avait pas l'air.

Alors, je lui racontai tout ce que je venais de voir. Les événements prenaient une tournure telle que, nous devions, elle et moi, les considérer en face si nous voulions garder quelque espoir d'en rester les maîtres. Et puis, je me rendais parfaitement compte que je ne pouvais rien sans elle. Elle était avec moi ou avec lui! Si elle était avec moi, elle devait m'aider à le combattre et je ne doutais point de cela.

J'étais sûr de Cordélia. Mon intervention sur la berge avait été trop spontanée pour que j'eusse eu le temps de me rendre compte des modalités de son attitude, dans le miroir de l'eau, mais j'étais trop persuadé, depuis la visite du Dr Thurel, de l'enchantement fatal dans lequel son prolongement psychique, c'est-à-dire son corps astral, avait été retenu captif, pour en vouloir à Cordélia de n'avoir pas repoussé un bras qui lui serrait trop tendrement la taille – ou d'avoir subi un baiser contre lequel elle ne pouvait rien!

En apprenant que *le voleur* avait eu l'audace de pénétrer jusque chez nous et qu'il était sans doute encore dans les environs, elle jeta ses bras autour de mon cou et s'écria : «Emporte-moi loin, bien loin! Il est capable de tout! *Il est capable de ne plus me laisser revenir!* »

Ah! chère, chère, chère Cordélia. Je ne me le fis pas répéter deux fois et notre petit bagage fut vite prêt. Je laissai, du reste, un mot pour Surdon, lui ordonnant de venir nous rejoindre là-bas, dès le lendemain, à Paris, avec les malles, et nous montâmes dans la petite auto que je conduisais moi-même.

J'eus, tout de suite, à me féliciter d'avoir jeté ma bien-aimée dans l'étourdissement de la capitale. Elle était si joyeuse qu'elle en oubliait les fatigues des terribles quarante-huit heures que nous venions de passer. Tout l'amusait. Une promenade au Bois, à l'heure des Acacias, lui avait fait complètement oublier la fameuse promenade dans le parc, au clair de lune : du moins, j'aimais à le croire. Nous déjeunâmes au champagne, dans un restaurant chic et, en sortant de là, nous riions de tout et de rien, comme des enfants étourdis par leur premier verre de vin pur.

Pour la première fois, Cordélia avait voulu fumer, et elle avait trouvé les cigarettes d'Orient si bien à son goût qu'elle en avait vidé la moitié d'une boîte. Tout cela fit qu'en arrivant à l'hôtel, elle dut s'étendre pour se reposer un peu. Je la laissai sous la garde de Surdon. En sortant, je ne pus retenir une exclamation sur le seuil du Palace, je venais de reconnaître le Dr Thurel.

Celui-ci fut, au moins, aussi étonné que moi. Il me demanda immédiatement des nouvelles de ma femme et ce que je lui racontai de ma seconde nuit de noces lui parut si intéressant qu'il m'entraîna dans son appartement. Là, il me fit répéter le tout avec détails et prit des notes, puis il me dit :

– *Tout cela est logique* ; du moment que votre femme se trouvait sous l'influence directe de l'individu qui rôdait autour d'elle, tout ce que j'avais pu faire pour la libérer devait forcément être réduit à néant, *aussitôt après mon départ.* C'est ce qui est arrivé, mais c'est ce qui prouve aussi que, pour que votre femme soit influencée, il est nécessaire que le suggestionneur soit à faible distance. Il y en a de plus malades qu'elle ! continua, pensif, le docteur, et il ne faut désespérer de rien, assurément. Vous avez bien fait de quitter Vascœuil ! Il faut voyager. Le cas est guérissable. *Tout dépend de vous, mon ami !*

Comme il répétait ces derniers mots avec insistance, je ne pus m'empêcher de marquer mon impuissance et ma mauvaise humeur.

– Tout dépend de moi ! m'écriai-je, c'est facile à dire ! Mais quelle influence voulez-vous que j'aie, moi, si chaque fois que mes lèvres rencontrent les siennes, ma femme se met à dormir ! Il faut être juste, aussi ! Et je suis, au moins, aussi à plaindre qu'elle !

– Je vous avais bien recommandé de l'embrasser comme un frère !

– Et vous croyez, vraiment, que l'influence d'un frère suffirait à la débarrasser de l'autre ?

– Non ! non ! je ne crois pas cela, mais je crois qu'il est nécessaire, *pour risquer le baiser que vous dites*, que le souvenir de votre femme se soit suffisamment écarté des suggestions de l'autre, *dans le temps et dans l'espace* ! Voyagez et soyez patient, jusqu'à l'heure où vous vous sentirez vous-même *assez maître de son O pour que vous n'ayez plus rien à redouter de son polygone.*

Je pris ma tête à deux mains. C'était la seconde fois que ce terme de géométrie revenait dans la conversation du Dr Thurel. Qu'est-ce que c'était que ce polygone et qu'est-ce que c'était que cet O dont je devais être le maître ? Mon interlocuteur daigna alors me faire connaître que c'étaient là des formes du langage psychique employées par le Dr Grasset « pour expliquer bien des choses » (*Le Spiritisme devant la science*). Je voudrais, à mon tour, vous les faire comprendre, comme ce bon vieillard me les enseigna. Je ne le tenterais même point s'il n'avait eu la bonté de me faire tenir quelques livres dans ce genre pour me mettre au courant d'une science qui pouvait m'être utile dans le cas de Cordélia et que je m'efforçai d'assimiler par amour de ma femme et sans qu'elle en sût rien. Sachez donc qu'il y a un *psychisme supérieur*, c'est-à-dire des actes psychiques volontaires et libres, précédés de réflexion, que le Dr Grasset représente par O et un *psychisme inférieur*, quasi automatique, représenté par des centres nerveux *reliés entre eux à la façon d'un polygone*. Ce polygone doit être considéré, soit à l'état physiologique (distraction, sommeil et rêve), soit à l'état extraphysique (hypnose provoquée), soit à l'état pathologique (somnambulisme, automatisme ambulatoire, etc.). Quand O ne s'occupe plus de son polygone, ce dernier fait à peu près ce qu'il veut et *il arrive que l'on puisse en faire à peu près ce qu'on veut*. Pour cela, il suffit que O soit distrait (par exemple, je pense à autre chose et je continue, avec mon polygone, à vider la carafe dans mon verre plein), il suffit que la pensée d'un autre se soit momentanément emparée de O. *Alors, le polygone peut aller loin !...*

Tout cela me parut clair comme le jour, tant cela était bien expliqué, et je m'écriai :

– Ah ! docteur ! comptez sur moi ! Je vais veiller sur le polygone de Cordélia ! et ce ne sera pas ma faute s'il m'échappe !

– En attendant, prenez le train ! répondit cet excellent docteur. Et vite ! Vous pourriez rencontrer ici *l'autre*, comme vous m'y avez rencontré moi-même ! Ce palace n'est pas un endroit où l'on se cache. Et puis, il n'y a pas de ville au monde plus petite que Paris !

Je courus aux sleepings et, le soir même, nous prenions le train pour Rome. J'emmenais Surdon avec nous.

Lorsque, le surlendemain matin, nous aperçûmes la muraille de Servius Tullius, Cordélia poussa des cris de joie. En descendant du train, elle voulut courir au Forum, mais j'eus tôt fait, en la bousculant un peu (il s'agissait de prendre de l'ascendant), de lui faire momentanément oublier toutes ces vieilleries pour lui faire goûter des joies plus modernes telles que celles du confort le plus raffiné dans le meilleur hôtel de la capitale italienne, puis celle d'un excellent déjeuner à la mode de la campagne romaine, au Castello di Constantino, sur une terrasse d'où l'on découvrait un paysage d'une rare beauté, bien qu'il fût un peu gâté par le spectacle de ruines, dites imposantes ; mais les ruines, à moi, m'ont toujours fait de la peine.

Il fallut, cependant, dans l'après-midi, passer en revue quelque vieilles pierres. Le Colisée eut beaucoup de succès auprès de Cordélia qui me raconta des histoires lugubres sur le martyre des premiers chrétiens. Je me hâtai de l'entraîner dans des endroits moins tristes. Une promenade à l'heure du « persil » dans les jardins du Pincio, des sorbets dans un café du Corso, et le soir, après dîner, la tarentelle dansée par de jolies filles dans le grand hall de l'hôtel nous ramenèrent dans le tourbillon de la vie vivante.

Cordélia avait pris un plaisir extrême à toutes ces manifestations élégantes de la vie romaine. De la voir si heureuse et les yeux si brillants, j'étais moi-même fort ému. Je ne l'avais jamais trouvée si belle. Quand nous fûmes dans notre appartement, je le lui dis d'un peu près, mais prudemment, toutefois, et fort anxieusement. Est-ce que j'étais devenu assez maître de son O pour n'avoir plus rien à redouter des fantaisies de son polygone ? À l'idée que si j'embrassais ma femme, elle allait encore s'endormir instantanément dans mes bras, de grosses gouttes de sueur me perlaient aux tempes.

– Mon Dieu, Hector, que tu as chaud ! me dit-elle en m'essuyant le front avec son mouchoir, d'un geste adorable.

Je ne savais plus beaucoup ce que je faisais. Ses lèvres me souriaient. Son parfum acheva de me griser ; ma foi j'oubliai toutes mes résolutions, je l'embrassai solidement, comme c'était mon droit.

Ô miracle ! elle ne s'endormit pas !…

Les beaux jours

Ah! chère, chère, Cordélia! quelles semaines merveilleuses nous vécûmes et combien le mélancolique Patrick fut oublié. Je dois dire que je ne négligeai rien pour cela! Tout ce qu'un mari amoureux peut offrir à sa jeune femme pour la distraire, je m'empressai d'en accabler ma Cordélia; les fêtes succédaient aux fêtes et je voulais ma bien-aimée la mieux parée, la plus belle de toutes. Nous avions fait quelques connaissances. Grâce à un secrétaire d'ambassade, qui était mon ami, les salons les plus fermés nous étaient ouverts; Cordélia en était la reine. Elle ne m'ennuyait plus avec ses visites aux antiquités. Je m'étais arrangé pour qu'elle n'eût plus que le temps de se distraire. Les musées étaient oubliés. J'avais toutes sortes de raisons de me méfier de la peinture.

Quand elle fut un peu lasse de Rome, nous partîmes pour Naples, où de nouvelles joies nous attendaient. Son golfe merveilleux connut nos baisers sur les plus belles rives du monde. Nous allâmes à Capri, à Sorrente, à Castellamare. Les bateliers chantaient. J'avais brûlé tous ces petits livres appelés «guides», car j'avais remarqué que lorsqu'elle les emportait, Cordélia, partout où elle passait, ne me parlait que des morts, ce qui était tout à fait triste.

Mon petit autodafé nous épargna bien des histoires sur Tibère et *tutti quanti*. C'était toujours ça de gagné. Évidemment, nous n'échappâmes point à Pompéi, mais ce n'est pas là une promenade ennuyeuse. Il y a toujours un monde fou qui se promène dans les ruines, des costumes de touristes à mourir de rire, des caravanes d'agence Cook qui, à elles seules, valent le déplacement; enfin, il y a le coup des peintures un peu lestes sur certains murs, en face desquelles se trouvent subitement de vieilles demoiselles anglaises qui se sauvent en criant : «*Aoh! shocking!*» Cordélia et moi, nous pouffions. Chère, chère, chère Cordélia !

Ah ! je t'avais bien à moi en ces heures bénies, où nous ne pensions qu'à nous réjouir de la beauté des jours, et qu'à nous aimer, sans nous préoccuper une seconde de ce qui avait été avant nous, de ce qui existerait après. N'est-ce pas là la condition du vrai bonheur ? Il ne faut pas trop penser ! Non ! non ! il ne le faut pas! Regardez comme nous étions heureux tous les deux depuis que nous pensions le moins possible. De fait, nous étions toujours présents, l'un bien en face de l'autre, sans que nous ayons l'occasion de nous demander : «À quoi penses-tu? » C'est pendant ces absences d'un esprit préoccupé que le «polygone» fait des siennes. La meilleure méthode pour que la pensée ne s'égare pas est encore de ne pas penser. Croyez-moi.

Seulement, il faut s'occuper. Après Naples, nous remontâmes à Florence; enfin, nous fûmes à Venise, que nous avions gardée pour le bouquet. Ah! ville fatale! Mais n'anticipons pas.

Où le polygone de Cordélia renouvelle mes inquiétudes

Surdon nous avait retenu un appartement à l'hôtel Danieli, sur le quai des Esclavons. C'est dans cet hôtel, paraît-il, que Musset, le poète, tomba malade et s'aperçut de la trahison de son amie, George Sand. Cette aventure lamentable, que l'on conta à Cordélia, dès le second jour de notre arrivée, parut l'attrister au-delà de toute mesure. Je maudis le fâcheux avec son histoire et voulus quitter l'hôtel. Mais Cordélia s'y plaisait et il me fallut céder. Je la trouvai, un jour, avec un livre. C'était la correspondance de ce Musset avec cette George Sand. J'en lus quelques lignes et le jetai par la fenêtre en embrassant ma bien-aimée et en lui disant que c'était un crime de gâter notre bonheur parfait en ouvrant notre porte aux pensées moroses de deux êtres qui n'avaient pas su s'aimer.

N'avais-je point raison? Elle me répondit:

– Oh, mon ami! voilà maintenant que tu m'empêches de lire! Songe, Hector, que tu m'as déjà interdit les musées!

– Moi? m'écriai-je, moi! À Dieu ne plaise, Cordélia, que je t'interdise jamais quoi que ce soit? Je suis ton esclave, tu le sais bien! Si tu tiens absolument à voir de la peinture, nous irons cet après-midi même dans *ton musée*! Veux-tu que je décommande notre promenade au Lido?

– C'est trop! c'est trop, Hector! me répondit-elle en souriant. Nous irons au Lido, nous y dînerons, nous y souperons. Tout de même, je te serais reconnaissante de montrer plus d'empressement à visiter avec moi *les merveilles de l'art.*

– Seigneur Dieu! m'écriai-je encore, quelle nouvelle chanson est-ce là? Est-ce que nous n'avons pas visité, comme il convenait, le palais des Doges et le cachot de Marino Faliero?

– Ô Hector! tu t'es amusé à glisser notre carte de visite dans cette boîte aux lettres mystérieuse, qui servait à recevoir les dénonciations anonymes auprès du Conseil des Dix. Voilà ce que tu appelles visiter les merveilles de l'art!

– Oui, oui! je dénonçais le patron de notre hôtel et je l'accusais de nous vouloir empoisonner! Tu as bien ri sur le moment, il faut l'avouer!

Pourquoi ne riait-elle plus? Quelle ombre nouvelle passait sur son front charmant? Elle me parut, soudain, entraînée dans une mélancolie qui la faisait plus belle encore, mais qui m'effraya, parce qu'elle me parut côtoyer la douleur. Et, de fait, quelques larmes parurent dans les yeux de Cordélia. Je me jetai à ses pieds :

— Mon Dieu! m'écriai-je, je t'ai fait de la peine!

— Non! non! mais laisse-moi pleurer! fit-elle d'une voix brisée et lointaine. Elles sont bien douces les larmes que l'on doit à l'émotion du beau! Je songe à ces minutes sacrées où nous quittâmes notre gondole pour entrer à la Salute! Rappelle-toi la lagune, le quai des Esclavons, toute la pierre et toute l'eau qui étaient comme un miracle d'or et d'opale…

— Une promenade à la Salute? interrompis-je sans cacher mon étonnement, nous ne sommes jamais allés ensemble à la Salute, ma mie!

— Ah! par exemple? protesta-t-elle… nous avons visité cette Notre-Dame des pieds à la tête!

Là-dessus, elle se mit en frais de m'en faire la description. Et puis, tout à coup, s'apercevant de mon ahurissement, *elle s'arrêta et ne voulut plus rien me dire de sa promenade à la Salute.* Elle était rouge comme une cerise et nous nous quittâmes dans un trouble profond. J'avais besoin d'être seul pour réfléchir à ce qui venait de se passer. Depuis que nous étions à Venise, nous ne nous étions pas quittés. Je laissais quelquefois Cordélia dans sa chambre, mais, moi, je restais à l'hôtel. Elle n'avait donc pu visiter la Salute. Je m'y rendis sur l'heure et je fus bien stupéfait d'y trouver tout ce qu'elle m'en avait dit.

Mon inquiétude était immense, car je ne pouvais plus en douter : le polygone de Cordélia recommençait à me jouer des tours ! Pendant une de ces heures qu'elle était censée consacrer au repos, son polygone était allé se promener à la Salute ! Je me rappelai certaines paroles du Dr Thurel : « De même, disait-il, que l'on cite des cas où le sujet retrouve *en rêve* des souvenirs déposés à son insu par son polygone à l'état de veille (O, alors, était distrait), de même, nombreux sont les cas où le sujet, *à l'état de veille*, retrouve des souvenirs déposés, *à* son insu par le polygone *qui a travaillé pendant l'état de sommeil* (O étant endormi ou *suggestionné* !).

En quittant ma gondole et en me retrouvant sur le quai des Esclavons, je ne pus retenir une exclamation :

– Ah ! misère ! encore ce satané polygone !... Nous sommes pourtant loin de Patrick à Venise !...

Je n'avais pas plus tôt prononcé ces paroles, que j'entendis derrière moi une voix qui disait :

– Détrompez-vous, monsieur, Patrick est ici !

Le rendez-vous

C'était Surdon qui me parlait de la sorte. Il paraissait aussi agité que moi. Je l'entrepris avec une fièvre bien compréhensible :

– Patrick ! m'écriai-je ! comment sais-tu cela ?

– Je l'ai rencontré !

– Quand ?

– Ce matin !

– Et depuis ce matin tu n'as pas pu…

– Monsieur, je l'ai suivi et je vous prie de croire que je n'ai pas perdu mon temps !

– Parle ! Parle ! Dis-moi ce que tu sais ; tout ceci est épouvantable !

– Oui ! oui, monsieur,… épouvantable !

– Je le tuerai.

– Évidemment, c'est ce qu'il y aurait de mieux à faire, car il n'y a point de doute qu'il ne poursuive monsieur ! (le brave Surdon n'osait faire aucune allusion à «Madame»). Ce Patrick, continua-t-il, pensait bien que Monsieur passerait par Venise. Il attendait Monsieur ici depuis trois semaines! Et il est à peu près devenu fou depuis que Monsieur est arrivé!

– Eh là! il l'était bien avant cela, Surdon!... Mais dis-moi tout ce que tu sais, dans le détail!...

– Eh bien, voilà, monsieur!... J'étais en train de brosser, ce matin, les effets de Monsieur, quand, ayant mis le nez à la fenêtre, j'aperçus, dans une gondole, une personne qui fixait nos fenêtres avec une attention si persévérante que je m'en arrêtai dans ma besogne. Il ne m'avait pas vu. Pour tout dire, monsieur, son regard allait à la chambre de Madame...

– Madame était-elle sortie? demandai-je, haletant, à Surdon.

– Non, monsieur, elle s'apprêtait à sortir, et Monsieur l'attendait dans le hall... À l'instant, je reconnus ce Patrick et je continuai d'épier son jeu.

– Pourrais-tu me dire si Madame l'a vu?

– Cela, je ne pourrais pas! je ne puis rien affirmer... La gondole s'était arrêtée un instant, puis avait fait demi-tour et redescendait vers le bassin; je me précipitai hors de l'hôtel dans le moment que vous en sortiez avec Madame. J'eus le bonheur d'arriver au coin du quai des Esclavons quand l'embarcation de Patrick en doublait la pointe. Je pris moi-même une gondole et suivis la sienne. Mon dessein était d'apprendre où il était descendu. Il me traîna pendant des heures dans des endroits impossibles et sans aucun intérêt apparent. Enfin, il se fit descendre au Grand Hôtel où j'appris qu'il avait une chambre, dont les fenêtres s'ouvrent au rez-de-chaussée, je veux dire, au ras de l'eau sur le Grand Canal, en face de la pointe de Notre-Dame della Salute! (À ce nom, je me remis à frissonner.) Le domestique qui le sert, continua Surdon, ne fit aucune difficulté pour me donner certains détails qui sont, du reste, la fable de tout le personnel du Grand Hôtel! *Il paraît, monsieur, que, depuis quatre jours, il s'enferme régulièrement dans sa chambre entre cinq et sept, après s'y être fait servir, sur un guéridon, une collation pour deux!*

— Une collation pour deux! répétai-je en tressaillant de la tête aux pieds, entre cinq et sept!

— Exactement! monsieur, exactement! Le domestique doit mettre deux couverts, et le plus beau est que l'on n'a jamais vu notre homme entrer dans sa chambre avec quiconque et qu'on l'en voit toujours sortir seul! Et, cependant, monsieur, il ne fait point de doute pour ce domestique que deux personnages se sont assis à ce guéridon pour partager la collation qu'il y a servie! C'est là un mystère qui amuse tout le monde et dont le Patrick n'a pas l'air de s'apercevoir, car il ne parle jamais à personne. On le considère, généralement, comme un fier original et même comme un peu fou. L'opinion des gens sensés est qu'il se joue à lui-même la comédie et qu'il vit avec ses souvenirs... Mon Dieu ! comme Monsieur est pâle ! J'ai peut-être eu tort de lui rapporter tout cela ? Peut-être eût-il mieux fallu lui cacher la présence de Patrick à Venise ?

– Non ! Surdon ! non ! tu as bien fait ! Tu es un fidèle et intelligent serviteur, mais dis-moi, Surdon, quand donc as-tu quitté le Grand Hôtel ?

– À l'instant, monsieur !

– Et Patrick ?

– Je l'ai laissé enfermé dans sa chambre comme à l'ordinaire à cette heure-ci !

Je regardai ma montre qui tremblait dans ma main...

– C'est vrai, fis-je, c'est l'heure de la collation ! Attends-moi ici, Surdon, dans cette gondole, je reviens tout de suite !

Je courus à l'hôtel dans une agitation qui touchait au délire. Ce qui me bouleversait ainsi (qu'on le comprenne bien !) était moins la preuve que m'apportait Surdon des récentes tentatives de Patrick pour s'emparer à nouveau de l'O de Cordélia que la façon trop bénévole avec laquelle ma bien-aimée semblait *consentir* à laisser diriger son polygone dans Venise par le plus dangereux des séducteurs ! De cela, dont l'idée seule me faisait grelotter de fièvre, pouvais-je douter en me rappelant ce qui s'était passé le jour même entre Cordélia et moi ? Elle m'avait parlé d'abord tout naturellement de *sa* visite à Notre-Dame della Salute ; et puis, devant mon effarement, elle s'était aperçue que son polygone bavardait trop, et elle lui avait ordonné tout à coup de se taire, et cela en rougissant jusqu'à la racine des cheveux !

Naguère, lorsqu'elle s'apercevait que quelque chose d'anormal venait de se passer entre nous, elle ne manquait pas de me jeter ses beaux bras autour du cou, en s'écriant : «Sauve-moi, Hector ! sauve-moi ! » mais, maintenant elle paraissait marquer uniquement un certain embarras d'avoir laissé surprendre le secret d'un état psychique qui devait me rester fermé, d'une autre existence dans laquelle elle ne me jugeait peut-être pas digne d'entrer et, dans tout les cas, qui *ne lui faisait plus peur*, puisque son O, après réflexion, ne me disait plus : «Emporte-moi ! »

Hélas ! n'était-ce pas un autre qui l'emportait où il voulait, maintenant, et sinon avec son assentiment parfait – car dans mon délire je m'efforçais de rester juste du moins sans qu'elle s'en défendît beaucoup. Ah ! malheur de ma vie ! Non, non ! elle ne s'en défendait plus ! sans quoi elle m'eût averti ! elle m'eût crié : «*Il est revenu, le voleur de mon cœur, le cambrioleur d'amour !* »

Son O et son polygone étaient bien d'accord, maintenant, pour me cacher cette infamie! Car, enfin *l'adhérence du fluide nerveux* (comme disait le Dr Thurel) a beau être faible chez certains sujets (et, assurément, Cordélia était de ceux-là), on ne saurait l'attirer loin de son foyer visible (le corps) sans une certaine douleur qui, autrefois, se défendait chez Cordélia et qui, maintenant, consentait. Cordélia me trahissait avec *une douleur consentante*! Effroyable! insupportable pensée!

De si tragiques réflexions ne me venaient point, comme l'on pense bien, seulement par la déduction que je tirai de cette rapide scène du matin avec Cordélia, mais aussi par le rappel subit de quelques autres petites scènes de ce genre qui m'avaient moins frappé parce qu'elles étaient moins importantes, mais qui acquéraient maintenant toute leur signification et cela depuis la première heure de notre arrivée à Venise! Enfin, ce qui me faisait gravir quatre à quatre les degrés de l'escalier qui me conduisait à la chambre de Cordélia, c'était une pensée épouvantable que, depuis quelques jours, elle m'avait prié de la laisser prendre quelque repos avant qu'elle s'habillât pour le dîner, et qu'il y avait peut-être là un subterfuge destiné à m'éloigner pendant le grand mystère de la promenade polygonale!

Tout ce que venait de m'apprendre Surdon des façons de faire de Patrick au Grand Hôtel, *à la même heure*, ne faisait que renforcer cette imagination infernale qui n'aboutissait à rien de moins qu'à accuser Cordélia d'un véritable crime, celui de la préméditation, alors qu'il n'y avait peut-être que coïncidence ; mais, ainsi va à l'extrême la jalousie qui ne se sent jamais aussi satisfaite que lorsque, par quelque nouvelle invention, elle a augmenté son supplice !

Quand, à bout de souffle, j'eus pénétré dans notre appartement, je restai suspendu cependant à un suprême espoir, celui d'apercevoir Cordélia, debout, devant une glace, mettant coquettement la dernière main à sa toilette du soir, mais, hélas ! la porte de sa chambre était fermée et c'est en vain que je la secouai avec force. J'appelai : « Cordélia ! Cordélia ! » mais rien ne me répondit ; je me penchai et, par le trou de la serrure, je pus l'apercevoir étendue sur une chaise longue, auprès de la fenêtre, dans cette posture rigide qui, à Vascœuil, m'avait tant effrayé.

Je ne pus retenir un cri de rage et, fermant les poings, grinçant des dents, je courus rejoindre Surdon dans sa gondole :

– Vite ! au Grand Hôtel ! commandai-je.

Le gondolier nous y conduisit en quelques minutes. Comme nous en approchions, Surdon me montra à droite des degrés de l'entrée principale, une fenêtre éclairée, car à cette heure de la saison, la

nuit était déjà venue et il me dit : «C'est là!...»
Aussitôt, je fis godiller de telle sorte que nous
rasâmes le pied du mur et que nous nous confon-
dîmes avec son ombre, et cela sans le moindre
bruit.

Quand la gondole se fut arrêtée sous la fenêtre, je
me dressai et parvins sans peine à me maintenir sur
une petite corniche, le coude appuyé à la pierre de
l'embrasure de la fenêtre. Celle-ci était ouverte. Je
pouvais voir et entendre.

Mon émotion était à son comble et je n'essaierai
point de la décrire. Du reste, il n'est pas difficile de
deviner ce qui se passa en moi, à partir de cette
minute, et les sentiments qui m'agitèrent devant un
spectacle que je pouvais *seul* comprendre et dont je
devais *seul* souffrir.

Les deux couverts, sur le guéridon qui occupait
le milieu de la chambre, étaient près l'un de l'autre;
les deux chaises étaient rapprochées à se toucher.
L'une d'elles était occupée par Patrick, qui se pen-
chait sur l'autre dans une attitude pleine de
langueur, cependant que son visage de chat mélancolique exprimait une quiétude, pour ne pas dire
une béatitude qui me donna tout de suite l'envie de
sauter dans la pièce et de lui administrer une paire
de gifles. Mais je me contins.

Il y avait sur la table un flambeau qui éclairait
doucement les choses et les gens. Pourquoi dis-je

les *gens* ? Je n'apercevais que Patrick et, quant à l'*autre personne*, je ne la voyais pas du tout, en dépit de toute ma volonté concentrée et de toute ma foi tendue. Dans le moment, j'eusse donné tout ce que je possédais pour que mon regard à moi eût la vertu de celui de Patrick qui, certainement, caressait effectivement les contours divins de la forme astrale de Cordélia !

Oh ! ses yeux de chat mélancolique ! ses yeux de chat mélancolique ! *tranquille et heureux*, tandis que moi, je bouillais, à la fenêtre !

Comment eus-je la force de retenir mon élan ? Mais je voulais en savoir davantage !… Et, maintenant, j'écoutais, car il parlait…

Tandis que sa main était allée chercher un fruit dans le compotier, *pour le déposer dans l'assiette de Cordélia*, il disait : «*Le mélange des esprits produit la sympathie, et de cette sympathie naît le véritable amour*, auprès duquel l'autre n'est rien qu'un instrument aveugle de l'aveugle nature aux instincts nécessaires de gigogne ! » Cette phrase, je la retiendrai toute ma vie ! «Le lien qui nous unit, ô Cordélia (lui aussi disait : "Ô Cordélia", et j'en eus dans la seconde le cœur transpercé comme d'une épée), le lien qui nous unit ne connaît pas d'obstacle et n'est arrêté par rien ; rien ne saurait le briser ; il traverse les murailles, franchit l'espace, défie le temps ! Il participe de l'essence divine, etc. ! » Je ne sais tout ce qu'il lui raconta encore dans ce genre, tout en épluchant une poire qu'il partagea avec elle, je veux dire : dont il déposa la moitié dans l'assiette qui se trouvait à côté de la sienne !

Je vous avouerai que ses gestes m'intriguaient encore plus que ses discours. Je trouvais insupportable qu'il se penchât trop sur la chaise voisine et j'éprouvais un affreux malaise à le voir porter à ses lèvres un verre rempli de vin doré qu'il avait préalablement incliné dans le vide, sur sa droite, *à la hauteur d'une bouche*, qui avait bu, peut-être, elle aussi !

Les misérables ! grondai-je entre mes dents serrées, ils boivent dans le même verre ! Ne vous gênez pas !

J'étais tellement «entraîné» par tout le psychique dont j'avais été la victime depuis ma première nuit de noces, et aussi par tout ce qui m'avait été scientifiquement expliqué et par ce que je voyais encore, que rien ne me surprenait plus et que l'impossibilité pour un corps astral d'absorber la matérialité d'un repas ne me parut pas évidente dès l'abord ! Il fallut que je me rendisse compte que le vin était entièrement bu par Patrick et que les morceaux déposés dans l'assiette de Cordélia passaient finalement dans celle de l'Anglais pour que je revinsse de cette idée saugrenue. Ce qui prouve une fois de plus qu'un esprit dérangé dans ses habitudes perd facilement toute mesure et est prêt à ouvrir les portes à toutes les illusions : mon illusion dans ce moment cruel où d'autres que moi eussent également perdu le bon sens était de croire à la réalité même de cette illusion, de cette comédie qui se jouait entre Patrick et le prolongement psychique de Cordélia ! Ce qui était la vérité vraie, c'est que, dans cette chambre, ils se donnaient le spectacle et la joie d'une dînette à deux, mais le seul qui consommât *matériellement* ne pouvait être que Patrick.

Et comme il buvait pour deux de ce vin doré que je crus bien être du tokay, il commença de ressembler moins à un chat mélancolique et il se mit à raconter des histoires qui ne manquaient point d'un certain humour.

Justement, c'était à propos de la limite matérielle où se heurtait sa puissance fluidique : « Il est malheureux, disait-il à Cordélia, que je ne puisse attirer ici votre estomac, *comme j'y attire toute votre sensibilité* ! mais, qui sait : c'est un miracle que la science psychique, qui en est encore à son aurore, réalisera peut-être bientôt... Regardez donc ce que l'on fait déjà *instinctivement* avec les tables tournantes ! Le jour où les imbéciles (je parle des savants officiels) ne riront plus de ces phénomènes, on ne sera pas loin de trouver la méthode qui permettra *sûrement* à l'esprit invisible de soulever la matière visible. Ce jour-là, on apprendra ce que ne savait pas Newton, c'est que la pesanteur est une propriété *variable*[1] des choses!... À ce propos, ma chère Cordélia (Ah! ce que je pouvais souffrir en l'entendant dire : "Ma chère Cordélia!"), à ce propos le père Sardou racontait une histoire bien amusante : "Moi, disait-il, je fais sauter ce guéridon par la fenêtre, quand et comme il me plaît! L'autre jour, deux amis prenaient leur café dessus. J'ordonne au guéridon de bouger. Il ne bouge pas! Quand ils sont partis, j'eng... le guéridon. Savez-vous ce qu'il m'a répondu? : Ils sont trop bêtes!"»

Là-dessus, Patrick se mit à rire, à rire! et il me semblait entendre rire aussi Cordélia!... (et leur joie me faisait plus de mal que tout à l'heure leur mélancolie). Soudain, *ils* ne rirent plus et *il y eut un grand silence pendant lequel ils se parlaient.*

Cela, j'en étais sûr! j'en étais sûr! ·

Ils se parlaient et ils se comprenaient. D'abord, c'est une chose reconnue de tous que les sujets et les médiums et les maîtres de l'esprit s'entretiennent entre eux sans le secours des sons, par la seule puissance de la suggestion *et de la communion.* Quand Patrick usait de sa *voix de gorge*, c'était par-dessus le marché et par habitude, peut-être aussi pour se donner l'illusion, à laquelle il semblait tenir, quoi qu'il dît, de la présence *matérielle* de Cordélia

---

1. Einstein n'a fait, depuis, que répéter les phrases de l'amoureux de Cordélia et que donner une forme mathématique à la théorie de Patrick. *(N.d.A.)*

dans sa chambre, à ses côtés, mais cette *voix de gorge* n'était pas nécessaire. Maintenant, il lui parlait certainement avec la voix de l'âme !

Et, assurément, Cordélia lui répondait… car il ne faudrait pas croire que j'aie assisté, dans cette fameuse et horrible séance, à un monologue. Loin de là, hélas ! Même quand Patrick usait de sa voix de gorge, il y avait des silences qui, certainement, étaient meublés par la réponse de Cordélia. Les propos de Patrick, qui suivaient, m'en donnaient la preuve ; j'étais à peu près au courant de ce qui se passait, mais maintenant ils parlaient en silence ! Que se disaient-ils ? Que se disaient-ils ? Pourquoi Patrick était-il si penché ? si penché ? et son bras droit allongé sur le dossier de la chaise de Cordélia ! Je voyais frémir son bras !…

Tout à coup, il redressa la tête et dit avec sa voix de gorge : «Je suis injuste d'accuser le ciel de ne pas t'avoir donné à moi corps et âme, car, en même temps que ton âme, j'ai le meilleur de ton corps mortel ! » Sur quoi, il prit son verre dans la main gauche, sans déranger sa main droite, qui frémissait toujours sur le dossier de la chaise de Cordélia, et il s'écria : «J'ai le goût de tes lèvres, ô Cordélia ! J'ai le goût de tes dents ! *J'ai le goût de ta vie !* Je bois à notre soif d'amour éternelle ! »

Il n'avait pas plus tôt fini de vider son verre dans le fond de sa voix de gorge que je me précipitai dans

la chambre. (Il paraît que j'étais littéralement écu-
mant. C'est lui qui l'a dit plus tard, et c'était, ma foi,
très possible, car j'étais au bout de la patience dont
j'avais armé mon inquiète et sournoise curiosité, et
ma rage débordait.) Je courus sur *eux* en m'écriant :
«Moi aussi, j'ai soif, vous ne m'invitez pas?»

Il s'était dressé aussitôt et jeté au-devant de moi
comme pour la défendre : «Maladroit! gémit-il,
vous l'avez blessée!» Et il se baissa pour ramasser
un couteau que j'avais fait tomber par terre quand je
m'étais rué sur le guéridon...

– Quoi, blessée? Quoi, blessée? haletai-je.

– Calmez-vous, monsieur, fit-il avec un flegme
bien britannique, ce ne sera rien, *indeed*! (en
vérité), mais ça aurait pu être grave! Que ceci vous
serve de leçon! Une autre fois, vous frapperez à la
porte ou à la fenêtre..., ajouta-t-il sur un ton qui
acheva de me mettre hors de moi.

– Ceci n'arrivera plus jamais! râlai-je...

Et comme je regardais du côté de la chaise de
Cordélia :

– Oh! monsieur! vous pouvez aller jusqu'au
bout de votre pensée, exprima-t-il avec un geste
d'encouragement. Nous sommes seuls! *Elle n'est
plus là!*

– Eh bien, monsieur, je voulais vous dire simplement ceci : c'est que, de nous deux, il en est un,
assurément, qui est de trop ici-bas!

– C'est bien mon avis, monsieur, acquiesça Patrick, mais ce n'est pas moi!

– C'est ce que nous verrons, monsieur, et pas plus tard que demain.

– Comme il vous plaira!

Sur quoi, n'ayant plus rien à lui dire ce jour-là, je me dirigeai vers la fenêtre, mais il m'ouvrit sa porte et nous nous saluâmes tout à fait correctement.

17

Le duel

Quand je relis les pages précédentes, je ne trouve rien à y enlever, car elles retracent fidèlement l'abominable état où j'étais depuis que Surdon m'avait appris que Patrick se trouvait à Venise et que je croyais avoir des raisons de m'imaginer que le pur esprit de ma bien-aimée obéissait sans trop de résistance aux fantaisies d'une suggestion coupable. Et quand j'évoque l'heure affreuse du rendez-vous dans la petite chambre du Grand Canal, je me revois tel que j'étais alors, c'est-à-dire moins transporté de fureur contre Patrick que déchiré par l'apparent consentement de Cordélia.

Insensé ! Insensé ! Est-ce que, dans mon ignorance du redoutable mystère psychique, ou me méfiant de mon initiation toute neuve, je n'aurais pas dû faire profiter Cordélia de tout ce qui me paraissait suspect ou incompréhensible ? Mais non !

Je prenais un âpre plaisir à mon désespoir et je voulais que tout se retournât contre elle et contre moi !…

Bref, tout mon sang bouillonnait au feu de cette phrase stupide : « Tout cela ne serait pas arrivé si elle l'avait bien voulu ! » Et c'est avec cette phrase-là à la bouche et cette injustice dans le cœur que je courus à l'hôtel Danieli.

Cordélia, que je trouvai toujours étendue sur sa chaise longue, venait de se réveiller, et elle s'enveloppait le doigt d'un linge, détail auquel dans ma première agitation, je n'attachai d'abord aucune importance. La femme de chambre lui tendait un fil ; je la priai de nous laisser seuls.

Au son de ma voix, Cordélia tressaillit et leva vers moi une face étrangement pâle.

– Patrick est ici ! m'écriai-je comme une brute, et tu le sais bien ! Pourquoi ne m'en as-tu rien dit ?

Elle considéra ma fureur d'abord avec un étonnement indicible et puis avec effroi. Elle semblait ne plus me reconnaître. Je n'étais plus son Hector. Elle ne me répondit pas et elle fit bien. Que répondre à un lion déchaîné et qui n'entend rien, qui ne comprend rien ?

Alors, je continuai comme un fou :

– Vous ne vous refusez rien ! Promenades en gondole ! Vous êtes allés ensemble visiter les musées, les églises, Notre-Dame della Salute !

À ces derniers mots, elle soupira :

– Oh! mon Dieu! *c'était donc vrai*! J'avais cru que ce n'était qu'un rêve!

Ce qu'elle disait là aurait dû m'éclairer, me montrer ce qu'elle était restée : l'éternelle victime des machinations de l'autre! Mais j'étais parti pour nous faire souffrir et je ne m'arrêtai point en si beau chemin!

– Vous avez des rendez-vous tous les jours entre cinq et sept!

– Qu'est-ce que tu dis? qu'est-ce que tu dis?

Et Cordélia se soulevait, ouvrait des yeux immenses, comme si elle découvrait tout à coup à l'état de veille et au son de ma voix des choses qui avaient été déposées dans son polygone à l'état de sommeil.

– Je dis que tu abuses de ma bonne foi. Pendant que je te crois ici, en train de te reposer, tu cours goûter avec Patrick dans son appartement du Grand Canal! »

Elle poussa un cri et se cacha la figure dans les mains.

– Ah! ne dis pas le contraire, je vous ai vus! je vous ai entendus!

– Qu'est-ce que tu as entendu? gémit-elle. Lui ai-je dit que je l'aimais? (Avec quelle voix d'angoisse elle me demandait cela!)

– Je n'ai point entendu cela! fis-je, surpris du ton

dont elle m'avait posé cette question, mais tu sais bien que je ne puis entendre «ta voix de silence».

– *Si je n'ai point dit cela, je n'ai rien dit!* déclara-t-elle en me regardant avec ses yeux immenses. *Le reste est en dehors de moi!*

Là-dessus, la voilà qui s'affale sur la chaise longue et son corps est tout secoué de sanglots! Je tombai à genoux. Toute l'horreur de ma conduite m'apparaissait en même temps que l'innocence de Cordélia! Chère, chère, chère Cordélia!

Je me maudissais! J'essayais de calmer ses pleurs, je lui pris la main. À ce moment, je m'aperçus que le linge qui enveloppait son doigt était tout rouge.

– Tu saignes, Cordélia, tu t'es donc blessée?

– Sans doute, répondit-elle entre deux larmes, je me serai heurtée à quelque meuble en rêvant!

– Cordélia! Cordélia! tu n'as pas rêvé, déclarai-je en lui démaillotant le doigt avec une émotion où passait tout ce que le Dr Thurel m'avait dit de l'extériorisation de la sensibilité. Non! Cordélia, tu n'as pas rêvé hélas! et en voici la triste preuve!... Pendant que tu étais *réellement* en esprit dans l'appartement du Grand Canal, j'y fis irruption avec une violence si grande que je bousculai tout devant moi! Un couteau qui se trouvait sur le guéridon tomba et Patrick s'écria: «Elle est blessée!...»

Cette fois, Cordélia s'était levée, si blanche, si blanche, qu'on eût dit son propre fantôme:

– Comment peux-tu croire que je ne t'aime pas? exprima-t-elle dans un souffle… *C'est le sang de mon cœur qui coule par cette blessure que tu m'as faite, là-bas, dans la chambre de Patrick...* Le comprends-tu! le comprends-tu[1]?

J'étais resté à ses genoux en entendant ces paroles sublimes, je serrai ses nobles jambes entre mes bras tremblants et la suppliai de me pardonner, mais une autre idée la possédait déjà et je compris que c'était cette idée-là qui la faisait si terriblement pâle.

– Que vous êtes-vous dit en mon absence? demanda-t-elle.

J'étais pris de court et ne sus d'abord que balbutier un mensonge.

– Jure-moi, fit-elle, que vous n'allez pas vous battre?

Je fus bien obligé de lui jurer cela, mais encore elle me dit :

– Tu fais un faux serment! C'est mal! N'importe! je ne veux pas que vous vous battiez! (J'eusse préféré qu'elle dît : «Je ne veux pas que tu te battes.») Vous ne vous battrez pas!… Je t'accompagnerai partout!

Elle fit si bien qu'il me fut impossible de sortir

1. *Note trouvée dans le manuscrit d'Hector :*
Souffrances et blessures à distance, phénomène du verre d'eau de M. de Rochas : voir aussi les faits rapportés par le Dr Chazalin dans son livre des «Matérialisations» : très souvent les médiums ont reçu *en pleine lumière* de violents soufflets, à la suite desquels on voyait la marque des doigts, une égratignure, un bleu sur le visage. *(N.d.A.)*

de l'hôtel et, comme je tenais absolument à nous débarrasser à jamais de l'Anglais, je fus obligé de lui envoyer en secret Surdon pour le mettre au courant de ce qui se passait et le prier de se charger de tout, des armes, des témoins, etc. Je demandai à ce que le duel eût lieu à la première heure, car je comptais m'échapper pendant le sommeil du matin de Cordélia, qui ne manquerait point d'être accablant après toutes ces émotions.

Surdon revint en me disant que je n'avais à me préoccuper de rien que de me présenter, à la pointe du jour, à l'hôtel du comte de C… qui se trouve à l'extrémité de ce que l'on appelle « les jardins de Venise ». Cordélia était redevenue plus calme ; nous fûmes nous promener sur la piazzetta, et nous parvînmes même jusqu'au café de Florian, et nous prîmes un porto au son des guitares. Tout était gai autour de nous. Je m'efforçai d'être gai, moi aussi, mais Cordélia restait tristement pensive. En rentrant chez nous, elle déclara qu'elle ne se coucherait pas.

– Je ne te crois plus, tu m'as menti. Si je prenais quelque repos, tu en profiterais pour aller te battre. *Je ne veux pas que vous vous battiez !*

Je haussai les épaules pour exprimer mon indifférence, mais j'étais horriblement ennuyé. J'avais une occasion merveilleuse et légitime de supprimer la cause de tous mes malheurs (on se battait au pistolet et j'étais sûr de tuer Patrick) et voilà que l'entêtement de Cordélia allait tout gâter. Heureusement, je pus renvoyer Surdon vers l'Anglais pour l'instruire encore de ce qui se passait et pour lui dire que je ne voyais aucune issue à cette situation *s'il ne consentait point à endormir Cordélia* pour que je pusse aller me battre avec lui. Si jamais on m'avait dit que j'adresserais un jour une pareille prière à cet homme dont la puissance psychique avait fait toute ma misère ! Mais passons ! Tout ceci prouve une fois de plus que, quelle que soit notre façon de concevoir le monde et les rapports de l'âme et de la matière, nous ne sommes qu'un peu de poussière dansante dans un bref rayon de soleil.

Surdon revint en me disant que l'Anglais lui avait déclaré qu'il tenait à se battre au moins autant que moi et qu'il serait fait comme je le désirais. Nuit douloureuse, nuit qui me parut d'une longueur infinie ! Ah ! malheureux ! si j'avais su !… si j'avais su, comme j'en eusse compté toutes les minutes avec la terreur de les voir s'enfuir trop vite !… Cordélia avait tenu sa parole. Elle ne s'était point couchée, quoi que j'eusse pu lui dire. Allongée sur le canapé, elle lisait ou faisait semblant de lire. Et moi, je la regardais.

J'attendais maintenant avec impatience ce que l'autre avait promis. La chose arriva un peu après cinq heures du matin. Ses paupières se fermèrent, son livre tomba de ses mains et son corps prit cette rigidité que je connaissais trop bien.

Je fermai la porte de sa chambre à clef et mis cette clef dans ma poche, puis j'appelai Surdon. À six heures du matin, nous frappions à la porte de l'hôtel du comte de C...

Patrick n'était pas encore arrivé, mais le médecin et les témoins s'y trouvaient déjà... Il y en avait deux pour moi, avec qui je fis connaissance et dont je n'eus qu'à me louer. Le comte de C..., qui appartient à la plus vieille noblesse vénitienne, était absent, mais c'est un homme qui, paraît-il, aime les arts et les artistes et qui avait mis son hôtel à l'entière disposition de Patrick.

On sait ce que sont les jardins de Venise. C'est l'un des rares îlots de l'antique cité qui ne soit pas entièrement envahi par la construction; cependant, l'hôtel du comte y trouve sa place et a une entrée particulière sur ces jardins publics comme chez nous les hôtels du parc Monceau. C'est le seul qui ait ce privilège, de telle sorte qu'à cette heure, où les jardins étaient fermés, nous nous trouvions comme si nous continuions d'être dans la propriété privée du comte.

Sur ces entrefaites, Patrick arriva, les mains vides, je l'affirme ici comme je l'ai juré à la cour d'assises. Les armes étaient dans des boîtes que les témoins avaient apportées avec eux et qu'ils avaient

prises la veille chez l'armurier. Patrick ne connaissait pas ces armes ; du moins il l'affirma et je le
crois. Elles furent du reste tirées au sort : ce sont les
pistolets apportés par ses témoins qui nous servi-
rent !

Nous étions maintenant dans la grande allée cen-
trale des jardins. On dit qu'au printemps cet endroit
est une merveille, un enchantement, quelque chose
comme le miracle des roses ; en cette saison d'automne, je vis, sous les premiers reflets d'un jour
blême, un lieu assez lugubre et bien propre à enca-
drer l'effroyable drame. Du reste, tout se passa avec
une rapidité terrible. On compta les pas, vingt-cinq
nous séparaient l'un de l'autre. Nous devions
échanger quatre balles. Mais je suis d'une telle
force au pistolet que j'étais sûr de tuer mon homme
au premier coup. J'y étais bien résolu et je n'en
concevais aucun remords. Je savais qu'aucun bonheur avec Cordélia ne me serait possible sur cette
terre tant que Patrick vivrait ; qu'il allât au diable !

J'avais tout mon sang-froid quand retentit le
commandement de feu !… un… deux… trois !
Patrick et moi tirâmes presque en même temps que
le directeur du combat comptait : deux ! Seulement
Patrick tira en l'air en poussant un cri désespéré.
Moi, j'avais déjà lâché mon coup à *hauteur du cœur*
et cependant je répète ici que je n'eus point la sensation que Patrick avait jeté ce cri parce qu'il venait

d'être touché par ma balle. Au surplus, il ne l'était pas. À ce cri, répondit un autre cri, d'une angoisse indicible. Il sortait de ma gorge et de mon cœur et cependant, moi non plus, je n'avais pas été frappé. *La seule personne dont on n'entendit point le cri de douleur fut la seule qui fut atteinte !* et je jure ici, devant Dieu et devant les hommes, que mon cri m'a été arraché par la vision *certaine* de l'image de Cordélia qui s'était soudain dressée entre nous à la seconde où nous appuyions sur la gâchette de nos pistolets ; seulement Patrick avait eu le temps de lever son arme mais moi, mon coup était parti !

L'image s'était évanouie aussi vite qu'elle m'était apparue. Je jure que le corps astral de Cordélia, qui jusqu'alors était resté invisible à mes yeux de chair (si ce n'est dans le miroir de l'eau et encore faut-il se demander si ce n'était point là un jeu de l'eau et de mon imagination), m'est apparu, à cette seconde, avec netteté. Ce phénomène, du reste, venait si bien corroborer tant d'autres phénomènes illustres de l'âme apparaissant subitement à des personnes aimées dans le moment même qu'elle dépouille, pour toujours, son enveloppe terrestre, que je compris le cri d'épouvante de Patrick qui, lui aussi, avait vu !

— Malheureux ! s'écria-t-il, malheureux ! *qu'avez-vous fait ?*

Mes cheveux durent se dresser d'horreur sur ma

tête et nous ne connûmes plus tous deux que notre infernale angoisse… Sans nous préoccuper des témoins et sans aucune explication, nous laissâmes là tout l'appareil du duel et nous courûmes nous jeter dans une gondole. Pas un mot durant le trajet. Du reste, je me sentais devenir fou. En arrivant à l'hôtel, nous nous ruâmes vers la chambre de Cordélia. Tout était tranquille ; les choses étaient telles que je les avais laissées. Un immense espoir commença de monter en moi ; cependant, ma main tremblait tellement que je ne parvenais pas à mettre la clef dans la serrure. Ce fut Patrick qui ouvrit la porte.

Nous nous précipitâmes. Cordélia était toujours sur la chaise longue, mais elle avait déjà une figure d'outre-tombe et un peu de sang tachait son peignoir à la hauteur de la gorge. *Cordélia était morte d'une balle qui lui avait traversé le cœur !*

Et maintenant…

. . . .

Et maintenant, je l'ai bien à moi ce cœur déchiré, que le plus grand voleur du monde m'avait cambriolé dans sa prison de chair. Devant l'urne où, pieusement, je l'ai enfermé, je puis me mettre à genoux en toute tranquillité, nul ne me le volera plus! C'est quand il tenait encore à toutes les fibres de la vie, c'est quand il animait de son souffle ardent une épouse adorée, qu'un misérable tentait d'en faire sa proie sublime et venait me le ravir jusque dans mes bras, mais aujourd'hui qu'il n'est plus qu'un peu de limon, et un grand souvenir, nul ne me le disputera plus!

Pendant ces audiences terribles de cour d'assises où l'on jugeait le cas le plus extraordinaire qui eût jamais été soumis, de mémoire d'homme, à la routinière conscience des juges, je voyais que le voleur du cœur de Cordélia ne tenait déjà plus à l'objet de son affreuse rapine. Pas une fois, au cours de ces débats qui ont soulevé la curiosité du monde sans la satisfaire, pas une fois le *voleur* n'a eu un regard pour la table des pièces à conviction où il avait bien fallu que l'on déposât cette relique sainte qui sortait de la main profane des «experts»! Tandis que moi, hélas! je ne pouvais en détacher mes yeux noyés de douleur...

Ô cœur de Cordélia! moi seul t'aimais!... *L'autre n'a jamais été qu'un artiste!...* Mais moi, ô Cordélia, je n'ai jamais été qu'un pauvre homme d'amour... et je ne suis encore qu'un pauvre homme d'amour, en face de ton cœur mort, comme il en fut de moi en face de ton cœur vivant! *Ce que je peux saisir de toi,* je l'emporte!... Du bocal judiciaire à cette urne funèbre, j'ai transféré en tremblant ton cœur chéri... N'est-ce pas, ô mon Dieu, qu'on ne me le volera plus?... *Je ne sens plus le voleur autour de moi!...* Tout de même, tout de même, malgré ma belle assurance de tranquillité, j'ai fait mettre un verrou de plus à la porte de la cellule où je me suis retiré des vivants...

... Dans cette retraite, j'ai voulu accomplir mon premier devoir envers moi-même et envers les autres... j'ai consigné ici tous les événements qui ont précédé, à ma connaissance, préparé, accompagné l'affreux drame… j'ai raconté simplement comment les choses sont arrivées même quand ces choses étaient fort extraordinaires. Si l'on me suit pas à pas et *si l'on me croit, on comprendra*!… À la cour d'assises, c'est parce que l'on ne m'a pas cru que l'on ne m'a pas compris!… Et cependant, je ne me ménageais pas!… Je prenais toute l'horreur pour moi!… Pourquoi ne m'a-t-on pas poursuivi? Je vous dis que c'est moi qui l'ai tuée!… Ô misère du monde! Je puis me réjouir aujourd'hui de ce que l'on ne me volera plus le cœur de Cordélia parce qu'il est mort! Et c'est moi qui l'ai tué! Je vous le crie, je vous le répète : n'en doutez plus puisque je n'en doute plus moi-même!

L'enquête fut longue et retardée par le mal qui s'empara de moi à la suite de cette tragédie. Quand je fus en mesure de parler, je trouvai les affaires de la justice engagées dans les voies les plus fausses, comme il fallait s'y attendre. N'avait-on pas, un instant, arrêté Surdon sous prétexte qu'il possédait un revolver chargé dont une cartouche avait été brûlée? On supposait qu'il s'était introduit dans la chambre de sa maîtresse pour voler quelque bijou pendant son sommeil. Des niaiseries, des stupidités et comment en eût-il été autrement? Les magistrats se trouvaient en face du corps d'une femme tuée d'une balle en plein cœur, et cela dans une chambre close de toutes parts, aux fenêtres fermées intérieurement et à la porte fermée à clef.

Le plus extraordinaire était bien que l'on eût cherché la balle partout sans la trouver. Elle avait traversé le corps de part en part et on ne la découvrit ni dans la chaise longue ni sur les murs. Je savais bien, moi, où elle était, la balle. *Elle était quelque part dans les jardins de Venise !*

On avait dû relâcher Surdon, mais on avait arrêté ensuite Patrick et ils le gardèrent, celui-ci, jusqu'à la cour d'assises. On avait fait l'autopsie du cœur et il résultait de l'expertise de la blessure qu'elle avait été produite non par une balle de revolver, mais par une balle de pistolet du calibre de ceux que Patrick s'était procurés pour le duel. Comme l'enquête avait démontré que Patrick, le matin avant le duel et dans la nuit qui avait précédé le duel, avait rôdé autour de l'hôtel Danieli, il n'en avait pas fallu davantage pour que la justice accusât l'Anglais d'avoir pénétré dans l'hôtel et dans la chambre de Cordélia à l'aide de quelque passe-partout ou d'une clef qu'il pouvait tenir précédemment de la complaisance d'un domestique payé pour aider Patrick dans ses coupables entreprises. Il avait tué Cordélia par jalousie, pour qu'elle n'appartînt plus à personne, s'il mourait. C'était simple ! comme c'était simple !... Lamentable humanité !...

Le malheur était qu'un coup de pistolet fait du bruit et que personne ne l'avait entendu dans l'hôtel.

Patrick s'était en vain défendu en racontant des histoires de suggestion et de communion d'âmes qui avaient fait sourire ces messieurs. S'il était venu autour de l'hôtel Danieli cette nuit-là, c'était que je l'avais prié d'endormir Cordélia aux fins qu'elle ne nous gênât point pour nous tuer, et que Cordélia n'était suggestionnable qu'à certaine distance.

Quand je vins, moi, renforcer ses dires et affirmer à mon tour que Cordélia avait été tuée dans l'hôtel Danieli par la balle que j'avais tirée dans les jardins de Venise, les magistrats cessèrent de sourire et témoignèrent d'une grande colère. Je fus considéré comme un fou par les uns, comme un imbécile par les autres et ils m'en voulurent beaucoup de ce que je ne me joignisse pas à eux pour accabler Patrick. Le père de Cordélia ne me le pardonna point et se sépara de moi avec mépris.

Les agences ont rapporté en quelques lignes ce qu'il advint de Patrick. Il y avait trop peu de preuves matérielles pour le condamner ; le jury l'acquitta en dépit de tous les efforts du ministère public.

En d'autres temps moins troublés par la politique européenne et s'il n'avait pas eu lieu à l'étranger, le procès n'eût point manqué d'avoir un retentissement immense et il le méritait, car il mettait aux prises devant des juges le plus grand drame du monde, celui qui se passe entre le visible et l'invisible. Ces ânes bâtés n'y comprirent rien. Je vois encore leur ahurissement lorsque le Dr Thurel, cité par la défense, vint leur expliquer qu'il n'y avait point d'impossibilité scientifique absolue à ce que Cordélia fût morte de la balle qui avait frappé son prolongement psychique dans les jardins de Venise. C'est ce que le Dr Thurel appelle la mort par *traumatisme astral*!... (Il y a même une phrase latine pour exprimer cela, une phrase qui date du Moyen Âge, mais je ne me la rappelle plus.)

La dernière visite

Ô Cordélia! tu es morte de ma main! Si je vis encore, sois assurée que c'est pour mon expiation! Que de fois ai-je évoqué ton image devant la dépouille de ton cœur, que de fois l'ai-je appelée! mais tu n'es jamais revenue.

Il y avait des jours et des jours que je n'avais ajouté une ligne à ces lignes et je restais comme anéanti en face du grand mystère de la vie et de la mort quand la porte de ma cellule s'ouvrit et qu'un homme entra. C'était Patrick. Il n'était plus que l'ombre de lui-même. Je m'étais jeté devant l'urne qui contient le cœur de ma bien-aimée. Il me comprit et eut un sourire amer :

– Ne craignez rien, me dit-il, je vous le laisse. Que me fait à moi son cœur de la terre? J'ai son cœur céleste!

Je me levai en trébuchant comme un homme

ivre, tant ce qu'il venait de prononcer me remplissait de douleur et de jalousie.

– Que voulez-vous dire? râlai-je. Vous voyez toujours Cordélia!

Il secoua la tête.

– Calmez-vous, fit-il, non je ne la vois plus. Elle est trop loin de nous et je n'ai jamais cru au retour, ici-bas, du fantôme des morts! Quand je dis que j'ai son cœur céleste, je veux dire que je l'ai eu! La mort me l'a enlevé, mais la mort me le rendra, ajouta-t-il d'un air sombre et inspiré.

– Eh! fis-je, taisez-vous. Qu'est-ce que vous voulez que ça me fasse?

– Bien! bien! du moment que vous le prenez ainsi, je ne vois pas ce que je suis venu faire ici!

– Ni moi!

– Monsieur, fit-il sur un ton d'une noblesse admirable, j'étais venu vous demander si vous n'aviez pas quelque commission pour elle, car *elle vous aimait bien, vous aussi!*

– Elle n'aimait que moi! affirmai-je, étrangement troublé, cependant, par l'air et les paroles de Patrick.

L'autre soupira et secoua encore la tête :

– Vous avez cru cela, mais ce n'était pas possible! fit-il avec une grande douceur, sans quoi elle serait encore de ce monde!

– C'est donc vous, au vrai, qui l'avez tuée,

m'écriai-je, du moins qui êtes responsable de sa mort! Cela a toujours été mon avis!

– C'est vous et c'est moi! C'est nous deux! confirma Patrick avec un grand accablement. Oui, j'ai été bien coupable, de mon côté, j'ai trop détaché son esprit de son corps dans mon délire, dans la soif que j'avais de son âme, dans l'amour dont je brûlais pour son pur esprit, mais vous, vous avez trop détaché son corps de son esprit! Nous marchions à une catastrophe inévitable…

Ces paroles me frappèrent comme un glaive et je n'interrompis plus le visiteur.

– Ceci prouve, ajouta-t-il en prenant le chemin de la porte, qu'on ne peut vraiment donner le bonheur à une créature terrestre qu'en lui apportant un équilibre dont nous étions incapables. Si Cordélia avait rencontré dans un seul homme un peu de vous et un peu de moi, elle eût pu être heureuse, du moins je me plais à le croire! Maintenant, là où elle est, son âme n'a plus besoin que de l'esprit! J'y vais. Adieu, monsieur!

. . . .

Les journaux m'ont apporté ce matin la nouvelle de la mort de Patrick. Il ne sera pas dit que je le laisserai poursuivre Cordélia à son aise. J'entends qu'elle m'appelle. J'ai sa voix dans mon oreille : « Au secours! Hector! Au secours! » Moi aussi, JE

VEUX devenir un pur esprit et, pour être plus tôt arrivé, je vais faire le même voyage qu'elle, par le même chemin. Bien que parti avant moi, Patrick arrivera trop tard. Il sera bien attrapé ! Le cœur de Cordélia m'indique la route qu'il faut prendre. La balle frappera mon cœur exactement au même endroit qu'elle a troué le sien. J'aurai le même soupir qui me mènera au même point de l'espace où elle m'attend ! J'en suis sûr… Chère, chère, chère Cordélia !

Deauville, septembre 1919.

Arrêt
sur
lecture 3

Venise, ville mythique

La passion de l'artifice

Venise est un lieu mythique : son existence même constitue un défi, la matérialisation d'un rêve impossible, puisque la ville a été construite sur la mer. De façon étrange et unique à la fois, la nature y occupe une place plus importante que dans aucune autre ville. Dans une symbolique rêveuse, on lui prête un caractère androgyne : féminine parce qu'elle est soumise au flux et au reflux de l'élément liquide, masculine par l'élévation et la dureté des marbres qui l'ont bâtie. Voici longtemps déjà qu'on la visite comme un musée. La « Sérénissime » a été assez riche pour associer l'art le plus somptueux à tous les moments de la vie sociale, si bien que le vrai et le faux, ou plutôt le réel et sa représentation, en viennent à se confondre. Le spectacle qu'une société peut se donner à elle-même par la musique, la danse, le masque et le travestissement trouve sa forme la plus achevée avec le carnaval qui, au XVIIIe siècle encore, pouvait se prolonger pendant plusieurs semaines.

L'amour et la mort

En choisissant Venise pour servir de décor au dernier acte de son drame, Gaston Leroux ne déroge pas aux règles de la vraisemblance. Destination habituelle pour un voyage de noces, Venise en constitue en effet le «bouquet», comme le dit Hector. Mais en même temps il met ce dénouement en perspective : il le dessine avec, en arrière-plan, toute l'histoire de cette ville, qui l'éclairera de sa lumière liquide et de ses ambiguïtés.

À la splendeur de Venise est attaché le double signe du libertinage et de la mort. En 1580, Montaigne signale que la ville ne compterait pas moins de onze mille six cent cinquante-quatre courtisanes officielles… L'adultère se pratique dans la meilleure société avec un naturel et une obstination dont témoignent les mémoires de voyageurs célèbres. Ces mœurs licencieuses s'expliquent-elles par le fait que Venise fut toujours une ville en sursis ? Le rêve vivant de sa magnificence menace à tout moment de l'engloutir. Balzac avait une formule idéale pour le dire :

« C'est une pauvre ville qui craque de tous côtés et qui s'enfonce d'heure en heure dans sa tombe. »

La gondole, sans laquelle la circulation dans Venise serait impossible, est souvent présentée comme une alcôve dérivant, la nuit de préférence, à la surface des canaux, et vouée au libertinage. Charles de Brosses, dans ses *Lettres familières* (1739-1740), indique qu'on y est «comme dans sa chambre à lire, à rire, écrire, converser, caresser sa maîtresse, manger, boire, etc…». Mais déjà en 1806, Chateaubriand s'en fait une représentation funèbre :

« Ces fameuses gondoles toutes noires semblent des bateaux qui portent des cercueils ; j'ai pris la première pour un mort qu'on allait enterrer. »

Venise contient donc la beauté et la mort : est-ce le lieu idéal pour une convalescence ou une renaissance ?

Les amants de Venise

Nous avons dit que le personnage de Childe Harold, conçu par lord Byron, avait pu servir de modèle à celui de Patrick. Or, lord Byron séjourna longtemps à Venise, ville à laquelle le souvenir de son œuvre, et celui de ses frasques, demeure étroitement attaché. Alfred de Musset fut de ceux qui rêvèrent de lui ressembler. L'arrivée de Cordélia et d'Hector à Venise évoque le couple que le poète forma avec George Sand (p. 144) :

> Surdon nous avait retenu un appartement à l'hôtel Danieli, sur le quai des Esclavons. C'est dans cet hôtel, paraît-il, que Musset, le poète, tomba malade et s'aperçut de la trahison de son amie, George Sand. Cette aventure lamentable, que l'on conta à Cordélia, dès le second jour de notre arrivée, parut l'attrister au-delà de toute mesure.

George Sand et Alfred de Musset arrivent à Venise le 30 décembre 1833. Sand, souffrante, doit s'aliter laissant Musset explorer la ville. Il tombe malade à son tour, et quitte Venise seul, le 29 mars de l'année suivante, après avoir appris que son propre médecin, Pietro Pagello, était devenu l'amant de George Sand. Musset se souvient de cet épisode douloureux dans un long poème intitulé *À mon frère revenant d'Italie* :

« Toits superbes ! froids monuments !
Linceul d'or sur des ossements !
    Ci-gît Venise.

De belles bâtisses, des gondoles romantiques, une vie festive : Venise semble être le paradis des amoureux. La ville devient pourtant vite pour Hector le théâtre du malheur et du désespoir.

Là mon pauvre cœur est resté.
S'il doit m'en être rapporté,
    Dieu le conduise !

Mon pauvre cœur, l'as-tu trouvé
Sur le chemin, sous un pavé,
    Au fond d'un verre ?
Ou dans ce grand palais Nani,
Dont tant de soleils ont jauni
    La noble pierre ?

L'as-tu vu sur les fleurs des prés,
Ou sur les raisins empourprés
    D'une tonnelle ?
Ou dans quelque frêle bateau,
Glissant à l'ombre et fendant l'eau
    À tire-d'aile ?

L'as-tu trouvé tout en lambeaux
Sur la rive où sont les tombeaux ?
    Il doit y être.
Je ne sais qui l'y cherchera,
Mais je crois bien qu'on ne pourra
    L'y reconnaître.

Il était gai, jeune et hardi ;
Il se jetait en étourdi
    À l'aventure.
Librement il respirait l'air,
Et parfois il se montrait fier
    D'une blessure.

Il fut crédule, étant loyal,
Se défendant de croire au mal
    Comme d'un crime.
Puis tout à coup il s'est fondu
Ainsi qu'un glacier suspendu
    Sur un abîme… 》

Ce passé venu de la vie littéraire jette un voile sombre sur le séjour vénitien : ce qui promettait d'être l'apothéose du voyage s'assombrit à la lecture de la correspondance entretenue par les deux écrivains (p. 144) :

George Sand peinte par Alfred de Musset du temps de leur amour. Pensez-vous qu'Hector aurait su dessiner avec autant de tendresse sa Cordélia ? Ou est-il trop rationnel pour faire preuve d'un quelconque sens artistique ?

[...] c'était un crime de gâter notre bonheur parfait en ouvrant notre porte aux pensées moroses de deux êtres qui n'avaient pas su s'aimer.

Groupement de textes autour du duel

Lors d'un duel, les adversaires occupent, l'un vis-à-vis de l'autre, des positions symétriques : ils se campent dans les mêmes attitudes, brandissent les mêmes armes, portent des tenues identiques. Autrement dit, dans ce face-à-face, les combattants sont anonymes. Tous ceux qui ont assisté à des compétitions d'escrime savent combien il est difficile d'identifier un individu sous son masque. Le cinéma a beaucoup travaillé sur cette hésitation dans laquelle le spectateur est maintenu, et qui lui fera douter, à la fin de la scène, si celui que l'épée a transpercé était le bon ou le méchant, l'Ange ou le Démon.

La Jérusalem délivrée de Torquato Tasso (1580)

Le XIXe siècle a raffolé du grand poème héroïque composé en italien par le Tasse (Torquato Tasso, 1544-1595), intitulé *La Jérusalem délivrée*, dont le morceau de bravoure oppose Tancrède, un chevalier chrétien, à Clorinde, une jeune païenne dont il est épris. Mais dans cette scène nocturne, la jeune fille porte une armure de guerrier et Tancrède ne la reconnaît donc pas. Le combat est terrible (traduction de Danielle Boillet, *Anthologie bilingue de la poésie italienne*, Pléiade, Éditions Gallimard) :

« Trois fois le chevalier a enserré la dame
Dans ses bras vigoureux, tandis qu'autant de fois
Elle s'est dégagée de ses liens tenaces,

Liens non pas d'amants, mais d'ennemi féroce.
Ils reprennent leurs fers, que l'un et l'autre teignent
Dans de nombreuses plaies; épuisés, hors d'haleine,
Tous deux à la fin se retirent pourtant
Et respirent après cette longue fatigue. **》**

Le Bonheur dans le crime de Jules Barbey d'Aurevilly (1874)

Barbey d'Aurevilly (1808-1889) se souvient du poème italien lorsqu'il compose une nouvelle intitulée *Le Bonheur dans le crime*. Hauteclaire Stassin, fille d'un maître d'armes, est elle-même une redoutable escrimeuse. Comme son père vieillit, il lui arrive de plus en plus souvent de le remplacer dans la salle où la noblesse normande se retrouve pour des leçons d'escrime.

《 Mlle Hauteclaire Stassin n'était guère connue que des hommes de la ville de V***. Toute la journée le fleuret à la main, et la figure sous les mailles de son masque d'armes qu'elle n'ôtait pas beaucoup pour eux, elle ne sortait guère de la salle de son père, qui commençait à s'enrudir et qu'elle remplaçait souvent pour la leçon. Elle se montrait très rarement dans la rue, – et les femmes comme il faut ne pouvaient la voir que là, ou encore le dimanche à la messe; mais, le dimanche à la messe, comme dans la rue, elle était presque aussi masquée que dans la salle de son père, la dentelle de son voile noir étant encore plus sombre et plus serrée que les mailles de son masque de fer. Y avait-il de l'affectation dans cette manière de se montrer ou de se cacher, qui excitait les imaginations curieuses? **》**

Hauteclaire est en attente d'un destin d'exception – qui lui fera connaître le «bonheur dans le crime», c'est-à-dire l'impossible ! Ce destin s'incarne dans la personne d'un jeune noble, séduit par la belle guerrière dès la première rencontre. C'est le comte Serlon de Savigny. Il est déjà fiancé à Mlle Delphine de Cantor, mais :

« On lui avait beaucoup parlé de la fameuse Hauteclaire Stassin, et il avait voulu voir ce miracle. Il la trouva ce qu'elle était, – une admirable jeune fille, piquante et provocante en diable dans ses chausses de soie tricotées, qui mettait en relief ses formes de Pallas de Velletri, et dans son corsage de maroquin noir, qui pinçait, en craquant, sa taille robuste et découplée, – une de ces tailles que les Circassiennes n'obtiennent qu'en emprisonnant leurs jeunes filles dans une ceinture de cuir, que le développement seul de leur corps doit briser. Hauteclaire Stassin était sérieuse comme une Clorinde. Il la regarda donner sa leçon, et lui demanda de croiser le fer avec elle. Mais il ne fut point le Tancrède de la situation, le comte de Savigny ! Mlle Hauteclaire Stassin plia à plusieurs reprises son épée en faucille sur le cœur du beau Serlon, et elle ne fut pas touchée une seule fois.

– On ne peut pas vous toucher, mademoiselle, lui dit-il, avec beaucoup de grâce. Serait-ce un augure ?

L'amour-propre, dans ce jeune homme, était-il, dès ce soir-là, vaincu par l'amour ? »

William Wilson d'Edgar Allan Poe (1839)

Edgar Allan Poe consacre à ce thème une nouvelle intitulée *William Wilson*, parue pour la première fois, dans le texte original, en 1839, et dans la traduction française de Baudelaire, en 1855. Tel qu'il se présente lui-même, William Wilson est un personnage très proche de celui de Childe Harold que nous avons évoqué plus haut. Il dit de lui :

« Je suis le descendant d'une race qui s'est distinguée en tout temps par un tempérament imaginatif et facilement excitable ; et ma première enfance prouva que j'avais pleinement hérité du caractère de famille. Quand j'avançais en âge, ce caractère se dessina plus fortement ; il devint, pour mille raisons, une cause d'inquiétude sérieuse pour mes amis et de préjudice positif pour moi-même. Je devins volontaire, adonné aux plus sauvages caprices ; je fus la proie des plus indomptables passions. »

William Wilson est mauvais et, depuis le collège, ses instincts tyranniques se heurtent à l'opposition d'un homonyme. Plus William Wilson, le narrateur, s'enfonce dans la débauche, plus William Wilson, son *alter ego*, apparaît comme le seul rempart dressé entre lui et l'enfer auquel sa conduite le condamne. Jusqu'au jour où, enfin, n'y tenant plus, le narrateur provoque son témoin en duel. Il raconte :

« Le combat ne fut certes pas long. J'étais exaspéré par les plus ardentes excitations de tout genre, et je me sentais dans un seul bras l'énergie et la puissance d'une multitude. En quelques secondes, je l'acculai par la force du poignet contre la boiserie, et, là, le tenant à ma discrétion, je lui plongeai, à plusieurs reprises et coup sur coup, mon épée dans la poitrine avec une férocité de brute. »

Le narrateur a remporté la partie, mais c'est pour s'aviser aussitôt que son censeur n'était qu'une image renversée de lui-même. Le bon William Wilson se meurt, mais il dit :

« Tu as vaincu, et je succombe. Mais dorénavant tu es mort aussi, – mort au Monde, au Ciel et à l'Espérance ! En moi tu existais, – et vois dans ma mort, vois par cette image qui est la tienne, comme tu t'es radicalement assassiné toi-même ! »

Le *Capitaine Fracasse* de Théophile Gautier (1863)

L'inspiration de Théophile Gautier dans *Le Capitaine Fracasse* (1863) ne revêt pas le même caractère fantastique. Le duel cependant, qui oppose le baron de Sigognac au duc de Vallombreuse au chapitre IX, n'en paraît pas moins marqué par le thème de l'homme double. Sigognac, bien que « gentilhomme de vieille roche et de la meilleure noblesse qui soit en Gascogne », est pauvre comme Job. Les beaux yeux d'une Isabelle, dont il s'éprend aussitôt qu'il la voit, l'incitent à fuir l'ennui de son manoir délabré. Il suit la troupe de petits comédiens à laquelle la jeune femme est attachée. Il change même son nom illustre contre celui de « Capitaine Fracasse » quand les circonstances le conduisent à se produire parmi eux sur les tréteaux de villages, grimé en Matamore. Si bien que le duc de Vallombreuse ne voit pas que celui-ci puisse se mettre en travers de sa route, quand il prétend forcer le consentement de la jeune femme à qui il fait une cour appuyée. Sigognac dévoile alors ses nom et qualité, et le méchant seigneur ne peut pas refuser de se battre.

Dans la longue scène du duel qui les oppose comme les deux figures mettant face à face le Bien et le Mal, l'auteur souligne la symétrie des attitudes. Vallombreuse ne s'attend pas à rencontrer chez son adversaire une force égale à la sienne. Il lui dénie a priori l'habileté, la vaillance, c'est-à-dire, sur un plan symbolique, le degré de dignité, la valeur humaine en même temps que le rang social dont il se targue quant à lui. L'erreur de Vallombreuse est de ne pas reconnaître, dans son rival et adversaire, un autre lui-même. Il refuse de le considérer comme un égal, avant que l'autre n'oppose à ses bottes des parades inattendues, puis assène des gestes d'attaque plus terribles que les siens. C'est donc comme une faute morale que le duel a pour fonction de dénoncer et de punir.

« Vallombreuse jeta son manteau et son feutre, et défit son pourpoint, manœuvres qui furent imitées de point en point par Sigognac. Le marquis et le chevalier mesurèrent les épées des combattants. Elles étaient de longueur égale.

Chacun se mit sur son terrain, prit son épée et tomba en garde.

« Allez, messieurs, et faites en gens de cœur, dit le marquis.

– La recommandation est inutile, fit le chevalier de Vidalinc ; ils vont se battre comme des lions. Ce sera un duel superbe. »

Vallombreuse, qui, au fond, ne pouvait s'empêcher de mépriser un peu Sigognac et s'imaginait de ne rencontrer qu'un faible adversaire, fut surpris, lorsqu'il eut négligemment tâté le fer du Baron, de trouver une lame souple et ferme qui déjouait la sienne avec une admirable aisance. Il devint plus attentif, puis essaya quelques feintes aussitôt devinées. Au moindre jour qu'il laissait, la pointe de Sigognac s'avançait, nécessitant une prompte parade. Il risqua une attaque ; son épée, écartée par une riposte savante, le laissa découvert et, s'il ne se fût brusquement penché en arrière, il eût été atteint en pleine poitrine. Pour le duc, la face du combat changeait. »

Qui est qui ?

Un dédoublement de personnalité

Hector + Patrick = Hector ? – Comme l'avait fait avant lui William Wilson, Vallombreuse s'étonne et s'impatiente de rencontrer, dans son adversaire, un autre lui-même. Quant à Patrick, a-t-il une existence réelle et indépendante, ou peut-il être considéré comme une création de l'esprit d'Hector, une projection de son inconscient ?

Il est tentant de regarder Hector comme un personnage aux prises avec des frustrations. La psychanalyse, cette médecine de l'esprit dont Sigmund Freud (1856-1939) a élaboré les principes au début du XXᵉ siècle, a mis au jour qu'une vie inconsciente nous animait, traversée par des envies contradictoires ou étonnantes. Pour libérer des désirs irrépressibles que la psychanalyse nomme « pulsions », Hector construirait un double fantomatique seul capable de les assumer. Dans cette hypothèse, Patrick figurerait l'artiste, le poète, le séducteur, le passager de la nuit : toutes les facettes d'une personnalité qu'Hector ne s'autorise pas à vivre ; le temps passant, Patrick aurait acquis une existence de plus en plus autonome de celle du malheureux Hector, dont il n'était tout d'abord qu'une création de l'esprit.

Cordélia aime-t-elle Hector ou Hector + Patrick ? – La crise intervient quand Hector doit assumer de devenir l'époux de celle qu'il aime et qui l'aime depuis l'enfance. Cordélia ne doute pas de l'amour qu'elle porte à Hector, successeur désigné de son père à la tête de l'usine de sidérurgie et sportif accompli : il est celui qui a les pieds sur terre, qui a la maîtrise du réel. Mais la jeune femme manifeste un goût affirmé pour les « merveilles de l'art », penchant incarné idéalement par Patrick. De l'un ou de l'autre, qui aime vraiment Cordélia : Hector, ou plutôt un Patrick qu'Hector ne veut pas connaître, parce que ce double l'entraînerait à reconsidérer tout son rapport au monde ? Hector s'effraie du désir de Cordélia, ainsi que du sien propre. Nous devons comprendre qu'il ne parvient pas à assumer ce qu'il y a d'irrationnel (et, selon lui, par conséquent, de nécessairement coupable) dans ce désir ; et l'impossibilité où il se trouve de le prendre en charge le conduit à « assassiner » sa jeune épouse. Il prétend que cette mort a été accidentelle puisqu'elle serait la conséquence de son duel (de son conflit) avec Patrick. C'est déjà presque un aveu...

Le thème de la folie

Un récit lacunaire – Patrick, pour autant qu'il existe, est sans doute le plus lucide des deux hommes. S'adressant à Hector, c'est bien lui qui explique :

> [...] on ne peut vraiment donner le bonheur à une créature ter-restre qu'en lui apportant un équilibre dont nous étions inca-pables. Si Cordélia avait rencontré dans un seul homme un peu de vous et un peu de moi, elle eût pu être heureuse, du moins je me plais à le croire !

Mais Hector est-il capable de reconnaître cette complémenta-rité qui l'unit à Patrick ? Est-il en mesure d'admettre qu'il lui faut partager le souvenir de Cordélia avec lui, après qu'ils se sont réunis pour la tuer ? Ceci sans doute dépasse les maigres forces de son esprit... D'où cette ligne de pointillés qui conclut la « der-nière visite » que Patrick vient lui faire en prison. Que signifie-t-elle ? Quel terrible événement cet hiatus recouvre-t-il de son poids de silence ? À la ligne suivante, le narrateur reprend :

> Les journaux m'ont apporté ce matin la nouvelle de la mort de Patrick. Il ne sera pas dit que je le laisserai poursuivre Cordélia à son aise.

Une narration à la première personne – Un roman ne saurait donner lieu à une interprétation ultime, exclusive de tout autre. Mais la lecture selon laquelle Hector et Patrick ne formeraient peut-être qu'un seul personnage doit être prise en compte, puis-qu'elle est suggérée par la forme même du récit. Celui-ci, en effet, est pris en charge par Hector ; nous ne disposons d'aucun autre témoignage que le sien qui nous renseignerait sur cette lamentable affaire. L'auteur nous enferme volontairement dans le point de vue de son personnage, peut-être dans son délire… Hector avoue qu'à un certain moment du procès il a été « considéré comme un fou » ; et cette cellule, où il prétend recevoir une dernière visite de Patrick, se situe-t-elle dans une prison, ou dans un hôpital psychiatrique ?

à vous…

1 – Qui d'autre qu'Hector, à l'intérieur de son récit, affirme connaître Patrick pour l'avoir rencontré, et dans quelles circonstances ?

2 – Théophile Gautier et Alfred de Musset ont consacré à Venise d'autres poèmes. Recherchez-les.

3 – Recherchez d'autres représentations de duels, dans le roman et dans la peinture du XIXe siècle et de la Belle Époque.

4 – Tracez une carte de géographie du roman. Distinguez, en utilisant des couleurs différentes, les lieux que les personnages ont traversés dans le présent du récit, et ceux qui sont d'une manière ou d'une autre évoqués.

5 – Patrick a donné une preuve au moins de son véritable amour pour Cordélia, et celle-ci une preuve au moins qu'elle lui était attachée. Lesquelles ?

6 – Vous assistez comme reporter au procès en assises d'Hector. Rédigez le compte rendu d'une audience.

7 – Oscar Wilde a écrit un roman, *Le Portrait de Dorian Gray* (1891), qui a un certain nombre de thèmes communs avec *Le Cœur cambriolé*. Lisez-le et expliquez les échos de l'un à l'autre.

Bilans

De la félicité au malheur : résumé du *Cœur cambriolé*

Chapitres 1 à 6 : le temps du bonheur

Deux jeunes gens s'aiment depuis l'enfance. Riches bourgeois, solidement enracinés dans le terroir normand, rien ne les prépare à un destin tragique. Hector, le narrateur, se passionne pour les sports autant que pour les techniques industrielles. Il est d'un tempérament positif et généreux. Lorsque, parti aux États-Unis pour un séjour de formation, il devine que Cordélia, sa fiancée, subit l'influence d'un artiste, il lui garde sa confiance. Cordélia, de son côté, essaie d'échapper à ce pouvoir mystérieux. Un moment elle se croit guérie. Les jeunes gens se marient. Le soir de leurs noces, comme les voici enfin seuls dans leur chambre, Hector pose un baiser sur sa bouche. Cordélia perd alors connaissance, elle lui échappe en sombrant dans un sommeil cataleptique.

Chapitres 7 à 13 : l'âme contre le corps

Hector, inquiété et dépassé par la situation, consulte le docteur Thurel, qui ne s'avère pas d'un grand secours. Au cours de leur deuxième nuit de noces, Hector s'élance à la recherche de l'âme de Cordélia, qui, de nouveau, a déserté son corps. Dans l'épaisseur du parc éclairé par la lune, il finit par apercevoir son rival. Le peintre, monté dans une barque, est occupé à réciter des vers à l'intention d'une Cordélia absente, mais dont l'image se reflète à la surface de l'eau. Le lendemain, le couple s'enfuit à Paris. Sur le conseil du docteur Thurel, rencontré par hasard, ils poussent jusqu'à Rome. Enfin, dans cette ville, l'influence néfaste de l'Anglais ne se fait plus sentir, et le mariage est consommé.

Chapitres 14 à 18 : lutter avec son double

Le mélancolique Patrick est oublié. Après Rome, vient Naples, puis Florence… Venise conclura le voyage. Ville fatale ! Cordélia est curieuse des merveilles de l'art. Au cours d'une conversation, elle fait référence à une visite qu'ils auraient faite ensemble à l'église Notre-Dame de la Salute où Hector, quant à lui, est certain de n'être jamais allé. Surdon, son domestique, lui apprend que Patrick se trouve dans cette ville. Il loge au Grand Hôtel et s'enferme dans sa chambre, chaque jour entre cinq et sept heures, après s'y être fait servir, sur un guéridon, une collation pour deux personnes. Hector décide de surprendre les amants. Il assiste à une scène où Patrick s'adresse à une Cordélia que lui seul semble voir. Ivre de jalousie, Hector fait irruption dans la chambre et provoque un duel. Les deux hommes s'affrontent aux pistolets. Patrick tire en l'air, Hector vise la poitrine de son adversaire, mais Patrick ne tombe pas. Dans la chambre d'hôtel qu'elle n'a pas quittée, Cordélia est trouvée morte d'une balle qui lui a traversé le cœur.

L'art comme procédé de capture

L'art est-il la valeur suprême ? Une réponse avec *Le Fantôme de l'Opéra*

L'art contre l'amour – Le roman le plus célèbre de Gaston Leroux, et le plus souvent adapté à la scène et à l'écran, est *Le Fantôme de l'Opéra* (1910). Christine Daaé, une jeune cantatrice de l'Opéra de Paris, est aimée par un certain Raoul de Chagny dont elle devient l'épouse. Mais, auparavant, elle doit échapper à l'emprise d'Érik, un vieillard fantomatique qui vit caché dans les sous-sols de l'édifice et qui voue à la jeune femme une adoration exclusive et funeste.

Érik était auparavant son professeur de chant, il a intrigué pour lui obtenir quelques rôles importants et rêve à présent de l'enlever au monde, de l'engloutir avec lui dans le tombeau qui lui sert de retraite. Il la kidnappe sur scène, au milieu d'un spectacle, la jetant évanouie sur son épaule, ce qui a donné lieu à des images légendaires ; et, quand Raoul s'enfonce dans les sous-sols de l'Opéra pour la délivrer du monstre, nous craignons qu'il ne réussisse pas mieux, hélas, qu'Orphée en s'en allant quérir son Eurydice dans le royaume des morts.

L'art et la science – Érik, à la différence de Patrick dans *Le Cœur cambriolé*, n'emploie pas, pour parvenir à ses fins, de moyens paranormaux, mais il use en virtuose de tous les procédés traditionnels de la prestidigitation : miroirs, balanciers, trappes, contrepoids, cornets acoustiques et doubles cloisons. Il apparaît comme un authentique musicien, doublé d'un inventeur de fantaisie, semblable à ceux qui, au XVIIIe siècle, construisaient des automates. Aujourd'hui, nous avons appris à considérer l'art, la science et la technologie, comme trois sphères d'activité résolument distinctes. Mais les hommes de la Renaissance ne les regardaient pas ainsi (qu'on songe à Léonard de Vinci). Et le XXᵉ siècle restera marqué par l'invention du cinématographe, c'est-à-dire d'un art dont les ingénieurs ont offert la possibilité aux artistes, sans qu'aucun auparavant n'ait osé imaginer et encore moins espérer une pareille aubaine. Sauf un romancier français, qui s'était passionné pour la science – et qui s'appelait Jules Verne !

Le trio fatal comme modèle narratif : *Le Château des Carpathes* de Jules Verne (1892)

Tout fait signe vers les arts – Pour se distraire, Rodolphe de Gortz, dernier héritier d'une famille de haute et antique noblesse, quitte sa Transylvanie natale et voyage en Italie, creuset de la vie artistique européenne. Là, il tombe amoureux d'une cantatrice, la Stilla :

« Jamais il n'avait cherché à la rencontrer ailleurs qu'à la scène, jamais il ne s'était présenté chez elle ni ne lui avait écrit. Mais, toutes les fois que la Stilla devait chanter, sur n'importe quel théâtre d'Italie, on voyait passer devant le contrôle un homme de taille élevée, enveloppé d'un long pardessus sombre, coiffé d'un large chapeau lui cachant la figure. Cet homme se hâtait de prendre place au fond d'une loge grillée, préalablement louée pour lui. Il y reste enfermé, immobile et silencieux, pendant toute la représentation. Puis, dès que la Stilla avait achevé son air final, il s'en allait furtivement... **»**

Mais la jeune femme finit par s'apercevoir de ce manège. Elle s'en effraie :

« Dès son entrée en scène, elle se sentait impressionnée à un tel point que ce trouble, très apparent pour le public, avait altéré peu à peu sa santé. Quitter Naples, s'enfuir à Rome, ou dans une autre ville de la péninsule, cela n'eût pas suffi, elle le savait, à la délivrer de la présence du baron de Gortz. Elle ne fût même pas parvenue à lui échapper, en abandonnant l'Italie pour l'Allemagne, la Russie ou la France. Il la suivrait partout où elle irait se faire entendre, et, pour se délivrer de cette obsédante importunité, le seul moyen était d'abandonner le théâtre. **»**

Sa décision est donc prise – d'autant plus irrévocable que la Stilla a reçu une demande en mariage de la part du jeune et beau comte Franz de Télek. La date de ses adieux au public est fixée. La *diva* donne une dernière représentation, et voici que celle-ci touche à sa fin :

« En ce moment, la grille de la loge du baron de Gortz s'abaissa. Une tête étrange, aux longs cheveux grisonnants, aux yeux de flamme, se montra, sa figure extatique était effrayante de pâleur, et, du fond de la coulisse, Franz l'aperçut en pleine lumière, ce qui ne lui était pas encore arrivé.

La Stilla se laissait emporter alors à toute la fougue de cette enlevante strette du chant final...Elle venait de redire cette phrase d'un sentiment sublime : «*Innamorato, mio cuore tremante, Voglio morire...*»

Soudain, elle s'arrête...

La face du baron de Gortz la terrifie... Une épouvante inexplicable la paralyse... Elle porte vivement la main à sa bouche, qui se rougit de sang... Elle chancelle... elle tombe...

Le public s'est levé, palpitant, affolé, au comble de l'angoisse...

Un cri s'échappe de la loge du baron de Gortz...

Franz vient de se précipiter sur la scène, il prend la Stilla dans ses bras, il la relève… il la regarde… il l'appelle…

« Morte !… morte !…, s'écrie-t-il, morte !… »

La Stilla est morte… Un vaisseau s'est rompu dans sa poitrine… Son chant s'est éteint avec son dernier soupir ! »

L'art est-il dangereux ? – Dans *Le Fantôme de l'Opéra* et dans *Le Cœur cambriolé* de Gaston Leroux, les rôles ou, plus profondément, les grandes fonctions mythiques de la fiction, se répartissent entre trois figures. Une jeune fille est destinée à devenir l'épouse d'un garçon à l'âme claire, qui l'aime et qu'elle aime d'un amour plutôt sage ; mais elle est en même temps convoitée par un personnage obscur, marqué par la mort, et qui songe moins à l'épouser qu'à se l'accaparer, à la retirer du monde. Il est important de remarquer que, dans les trois œuvres, ce personnage obscur est un artiste, ou un esthète. L'art – le sentiment, le culte de l'art – ne se situe donc pas, dans ces fictions, du côté de la lumière où, depuis la Renaissance au moins, nous avons l'habitude de le ranger, mais sur l'autre versant de la réalité : du côté, au contraire, des ténèbres et du mal.

L'histoire que raconte Jules Verne ne s'achève pas avec la mort de la cantatrice. Le baron de Gortz est incapable, en effet, de faire son deuil de celle qu'il idolâtrait. Il a recours aux services d'un certain Orfanik, gnome capable de fabriquer une machine qui permet à son maître de capturer l'image et la voix de l'artiste défunte, et de protéger contre toute curiosité importune le sinistre *burg* destiné à lui servir de théâtre en même temps que de tombeau. Or, par les procédés décrits, sinon dans leurs mécanismes, du moins dans leurs effets, l'auteur anticipe sur la science de son temps. Trois ans après la publication du *Château*

des Carpathes, le 28 décembre 1895, les frères Lumière invite-
ront le public parisien à assister à la première projection du cinématographe, donnant ainsi au dispositif imaginé par Orfanik un
début de réalisation.

Le comte Franz de Télek a réussi à s'introduire dans le château
des Carpathes où Gortz s'est enfermé pour mieux jouir d'une
fantasmagorie macabre, et c'est à celui qui a aimé la jeune
femme comme une personne et non comme une idole qu'il
reviendra de dissiper ce délire macabre. Au cœur de ce château,
la Stilla apparaît debout, les bras tendus, et elle chante de la
même voix qu'elle faisait à Naples. Hélas, ce n'est plus sur une
scène, mais comme un mannequin, dans une vitrine :

« Soudain, le bruit d'une glace qui se brise se fait entendre, et,
avec les mille éclats de verre, dispersés à travers la salle, disparaît
la Stilla…

Franz est demeuré inerte… Il ne comprend plus… Est-ce qu'il
est devenu fou, lui aussi ?…

Et alors Rodolphe de Gortz de s'écrier :

« La Stilla échappe encore à Franz de Télek !… Mais sa voix…
sa voix me reste… Sa voix est à moi… à moi seul… et ne sera
jamais à personne ! »

Au moment où Franz va se jeter sur le baron de Gortz, ses
forces l'abandonnent, et il tombe sans connaissance au pied de
l'estrade.

Rodolphe de Gortz ne prend même pas garde au jeune
comte. Il saisit la boîte déposée sur la table, il se précipite hors
de la salle, il descend au premier étage du donjon ; puis, arrivé
sur la terrasse, il la contourne, et il allait gagner une autre porte,
lorsqu'une détonation retentit. **»**

Cette boîte, que le comte emporte, contient un enregistrement de la voix de la cantatrice… Ainsi, chez Jules Verne, voyons-nous la science venir au secours du fantastique. Le merveilleux des fantômes et des vampires est remplacé par celui que provoque l'intervention de la fée électricité, par l'illusion que ménagent les machines d'enregistrement visuel et sonore. Mais l'essentiel est ailleurs. Jules Verne puis Gaston Leroux composent leurs fictions à un moment de l'histoire où la technologie tend à permettre une reproduction infiniment plus abondante et plus exacte des apparences. La question que ces romanciers se posent est celle de savoir si, derrière cette prolifération d'images, ne se cache pas un désir dangereux : celui qui consisterait à réduire l'humain à *un quelque chose* de techniquement reproductible en même temps qu'à briser la digue infranchissable qui, dans nos sociétés, depuis la nuit des temps, sépare les vivants et les morts.

Les vivants et les morts

Les morts mêlés aux vivants hantent la littérature fantastique, et fascinent tout autant aujourd'hui le cinéma. En 1917, Gaston Leroux écrit *L'Homme qui revient de loin*, dans lequel son héros, le pauvre Jacques Munda de la Bossière, s'écrie dans un moment crucial :

« Ah ! vous voulez savoir si je les ai vus !… Eh bien ! oui, je les ai vus !… Je les ai vus comme je vous vois, et je les vois encore !… La maison en est pleine !… et la forêt !… et la vallée ! Si vous croyez que les morts quittent les vivants comme ça !… Ils sont derrière toutes les portes !… Ils guettent à toutes les fenêtres !… Ils vous attendent dans le creux des chemins !… Vous ne vous en doutez pas !… Mais je les ai vus, moi, pendant que j'étais mort, je les ais vus, penchés à l'oreille des vivants et leur soufflant des conseils terribles pour le bien ou pour le mal!… et les vivants ne s'en doutent pas!… Les morts conduisent les vivants par la main et les vivants ne s'en doutent pas!… Non! Non!… s'ils savaient, ils se méfieraient!… Les vivants disent qu'ils ont des pressentiments!… Il n'y a pas de pressentiment! il y a le souffle d'un mort dans l'oreille!… Il y a la main d'un mort qui vous conduit vers le bonheur ou vers la catastrophe!… car les morts… je vous le dis!… Je vous le dis!… car j'ai vu cela, moi!… Les morts restent incroyablement mêlés aux vivants… pour les aimer ou les haïr!… Il y a des morts terribles dont il est à peu près impossible, pour un vivant, de se débarrasser!… *Les vivants ont tort de ne pas regarder de plus près dans leur ombre!*… Ils y verraient des choses que j'ai vues, moi!… et ils se méfieraient!… et les vivants seraient moins fiers de se promener dans la vie, assurément!… Ah! je vous en prie!… messieurs les docteurs, je vous en conjure… chassez les morts!… chassez les morts!… chassez les morts!… »

Dans un roman fantastique tellement mêlé d'humour, comme sont ceux de Gaston Leroux, le thème peut nous paraître purement conventionnel. L'auteur s'amuserait à nous faire peur. Mais à la même époque, le thème se retrouve avec des mots presque semblables dans l'œuvre d'un poète lyrique comme Rainer Maria Rilke, apparemment aussi éloigné que possible de la littérature populaire. Ses *Élégies de Duino* sont publiées en 1923, mais la première d'entre elles, que nous citons ici, date de mai 1912 (traduction de J. F. Angelloz, Éditions Aubier) :

« […] Il est étrange, certes, de ne plus habiter la terre,
de ne plus suivre des usages qu'à peine on venait d'apprendre,

de ne donner ni à des roses, ni à des choses, dont chacune était
 une promesse,
la signification de l'avenir humain ;
de n'être plus ce qu'on était dans l'angoisse infinie des mains,
et d'abandonner jusqu'à son propre nom,
comme un jouet brisé.
Étrange de ne plus souhaiter les désirs. Étrange
de voir ce qui était lié flotter, détaché et libre,
dans l'espace. Être mort est plein de peine,
et il y a tant à retrouver pour sentir peu à peu
une parcelle d'éternité. Mais les vivants commettent
tous l'erreur de faire des distinctions trop fortes.
Les anges (dit-on) souvent ne sauraient pas s'ils passent parmi
des vivants ou des morts. L'éternel courant
à travers les deux règnes entraîne tous les âges
avec lui sans arrêt, et dans tous les deux il domine leurs voix. »

Un désordre cosmique

L'observation et la logique

Dans le roman d'Oscar Wilde *Le Portrait de Dorian Gray* (1891),
le personnage de lord Henry déclare : « Il n'y a que les gens
superficiels qui ne jugent pas selon les apparences. Le véritable
mystère du monde est le visible, non l'invisible… » Dans le
roman fantastique, le monde se révèle en proie à une sorte de
dérèglement dont témoigne l'apparence des choses et que le
génie humain n'est pas capable de réduire.

   Le récit d'énigme policière débute, le plus souvent, dans un
climat semblable. Dans son domaine aussi, les lois de la raison
paraissent mises à mal. Ce que l'on constate défie, d'entrée de

jeu, tout type d'explication, si bien que l'on est tenté de croire à une intervention surnaturelle. Mais, qu'il se nomme Sherlock Holmes, Rouletabille ou Hercule Poirot, le détective ne croit pas aux fantômes. Et, à force d'observer ce qui peut l'être, fût-ce en se glissant sous les meubles équipé d'une loupe, il parvient à fournir une explication rationnelle, capable de rassurer les autres personnages et le lecteur lui-même. Cette explication permet de confondre le vrai coupable, et elle rétablit l'ordre du monde dans son fonctionnement coutumier, à la fois naturel et logique.

Des puissances maléfiques

Le fantastique s'apparente à un récit d'énigme policière où la raison serait vaincue d'avance ; et le roman policier, dans sa forme classique, à un récit fantastique dans lequel l'astuce de Joseph Rouletabille, personnage dans lequel il est facile de reconnaître un Petit Poucet auquel le souci de modernisme a fait endosser le costume du reporter-détective, finit par l'emporter sur la puissance de l'Ogre. Mais, dans l'un et l'autre cas, il faut que le dérèglement provoqué par les puissances maléfiques atteigne un tel degré que l'ordre cosmique tout entier paraisse mis en cause.

Souvenons-nous : au chapitre 11, le malheureux Hector évoque « le grand silence de la lune ennemie ». Si l'âme et le cœur de Cordélia peuvent être « cambriolés », à distance qui plus est, par une sorte de mage mélancolique, pourquoi ne pas supposer que la lune elle-même soit sa complice ? Le doute suscité par l'attitude d'une jeune fille trop sensible aux prestiges de l'art contamine, de proche en proche, l'univers qui l'entoure. Et, pour conjurer son malheur, il s'en faudrait de peu que son amoureux ne s'élance à la rencontre des planètes, qu'il ne cherche à redresser l'axe du monde, n'inverse le cours du temps, comme ferait aujourd'hui Superman. La littérature fantastique annonce l'apparition des opéras cosmiques que nous propose le cinéma, où la totalité des forces de l'univers est prise dans la bataille.

Gaston Leroux et le travail du style

L'histoire et le récit

Quand on parle de travail d'écriture, on fait référence le plus souvent à celui qui porte sur les mots. On aime à considérer une page de manuscrit de Gustave Flaubert, par exemple, couverte d'étoilements et de ratures, où le texte définitif paraît sourdre lentement du chaos. Mais pour ce qui est de l'histoire, à savoir ce que ces mots racontent, tout se passe comme si elle était donnée à l'auteur par une sorte de « génie ». Autrement dit, nous avons tendance à considérer que le travail d'élaboration, auquel se livre l'écrivain, concernerait non pas la structure de l'histoire, mais seulement l'agencement des mots.

La lecture de Gaston Leroux, comme celle de beaucoup d'autres auteurs de romans populaires, nous oblige à corriger cette impression. Dans son cas, il paraît évident que le travail du romancier porte d'abord sur la charpente de l'histoire. Leroux était un infatigable lecteur. Il avait une connaissance approfondie de l'œuvre des feuilletonistes qui l'avaient précédé, mais il avait également exploré tout le champ du romantisme, et il gardait une préférence marquée pour le romancier de *La Comédie humaine,* Honoré de Balzac (1799-1850), et pour le poète Charles Baudelaire (1821-1867). Par ailleurs, il avait conservé de son passé de journaliste une passion pour le fait divers. Il découpait dans les journaux le moindre entrefilet qui avait retenu son attention ; puis il classait ces coupures dans des chemises, selon leurs thèmes, et attendait, plusieurs années parfois, qu'un début d'histoire naisse de leur confrontation.

Une histoire procède de l'articulation de différents épisodes qui se combinent et se déroulent dans le temps. Mais elle procède aussi de l'inscription de chacun de ces épisodes dans un espace géographique. Ce qui s'est déroulé en Normandie, puis à Paris, puis à Venise, aurait pu peut-être se dérouler ailleurs. Mais l'histoire eût-elle été tout à fait la même ?

Le travail du style, que l'on réduit trop souvent à un travail sur les mots, opère dans chacune des images romanesques que l'auteur nous propose, qu'il nous décrit ou nous dépeint, comme s'il avait fallu d'abord qu'il les visualise. Et cela signifie que le style d'un roman comme celui de Gaston Leroux procède au moins autant des arts visuels que de la grammaire.

Modern style

L'imaginaire de la Belle Époque est influencé dans tous les domaines par le style décoratif appelé « art nouveau » (ou *modern style*), qui a été largement répandu entre 1900 et 1925, et qui se caractérisait par l'utilisation de motifs floraux et végétaux stylisés, à dominante courbe. Son influence est perceptible dans le dessin de certaines phrases de Gaston Leroux, dont la longueur et la sinuosité peuvent nous paraître résulter d'une maladresse de l'auteur, ou de sa trop grande hâte. C'est le cas quand nous lisons :

> Et, quelques minutes plus tard, je franchissais, dans le grand silence de la lune ennemie, et qui voyait, peut-être, elle, des choses qui restaient inaperçues de mes yeux de chair, cette ligne des grands arbres qui formaient comme un rideau au bord du parc et où je n'avais jamais pénétré.

Or, ne faut-il pas voir au contraire dans ce large mouvement, tracé de chic, sans repentir, une suprême élégance ? Les « grands arbres » ne sont pas décrits, mais, à l'instant où le narrateur va franchir le rideau qu'ils forment, le dessin de la phrase les fait s'élever et entrelacer leurs branches très haut au-dessus de sa tête. Ils acquièrent une existence inquiétante, que l'élément végétal conservera jusqu'à la fin du chapitre.

Expressionnisme

Une seconde influence stylistique est venue s'ajouter au *modern style*, et le renforcer surtout après la Première Guerre mondiale : celle de l'expressionnisme. Apparu chez les peintres dès la fin du XIXe siècle, l'expressionnisme se définit comme une tendance artistique qui fait consister la valeur de la représentation (du tableau, du plan filmique, de la description) dans l'intensité de l'expression.

Son influence se traduit au cinéma par l'utilisation de décors peints en studio ; par une gestuelle, des maquillages, des jeux d'acteurs exagérés ; par le recours à des effets d'éclairages violents, contrastés, et toujours significatifs ; par des angles de prises de vue déconcertants ; enfin, par le traitement de sujets sombres et lugubres. Ainsi, il inspire des films importants, comme *Nosferatu le vampire* (Murnau, 1922) ou *Metropolis* (Fritz Lang, 1927), sans oublier, bien sûr, *The Phantom of the Opera*, adapté du roman de Gaston Leroux par le réalisateur américain Rupert Julian en 1925.

Mais n'est-ce pas déjà comme dans un film expressionniste que le pauvre Hector se hâte en quête de l'âme de Cordélia, « dans le grand silence [d'une] lune ennemie » ? Non seulement la lune apparaît comme vivante et hostile, mais elle éclaire la scène d'une clarté blafarde. Et c'est sous son œil unique que nous croyons voir la minuscule silhouette du narrateur protagoniste occupé à traverser un paysage qui paraît sur le point de l'engloutir.

Petite bibliographie

Quelques romans proches du Cœur cambriolé

Alexandre Dumas, *La Femme au collier de velours*, coll. La Bibliothèque Gallimard (n° 57).
Théophile Gautier, *Le Capitaine Fracasse*.
Gaston Leroux, *Le Mystère de la chambre jaune*, *Le Fantôme de l'Opéra*, *L'Homme qui revient de loin*.
Edgar Allan Poe, « William Wilson » dans *Nouvelles Histoires extraordinaires*.
Bram Stoker, *Dracula*.
Jules Verne, *Le Château des Carpathes*.
Oscar Wilde, *Le Portrait de Dorian Gray*.

Sur Gaston Leroux

Alfu, *Gaston Leroux : Parcours d'une œuvre*, Encrage, coll. Références, 1996.
Isabelle Casta (dir.), *La Littérature dans les Ombres. Gaston Leroux et les œuvres noires*, Lettres modernes Minard, 2002.
Francis Lacassin, *À la recherche de l'empire caché*, Julliard, 1991.

Pour aller plus loin sur des thèmes évoqués dans le commentaire

Anne-Élisabeth Dutheil de la Rochère, *Les Studios de la Victorine : 1919-1929*, Association française de Recherche sur l'Histoire du Cinéma & Cinémathèque de Nice, 1998.

Pierre Lacaze, *En garde. Du duel à l'escrime*, coll. Découvertes Gallimard, 1991.

Jean-Noël Mouret (éd.), *Le Goût de Venise*, Mercure de France, coll. « Le Petit Mercure », 2002.

TABLE DES MATIÈRES

Dans la même collection

Raymond Queneau – **Loin de Rueil** (40)

Jean Racine – **Britannicus** (20)

Jean Racine – **Phèdre** (25)

Jean Racine – **Andromaque** (70)

Jean Racine – **Bérénice** (72)

Jean Renoir – **La règle du jeu** (15)

William Shakespeare – **Roméo et Juliette** (78)

Georges Simenon – **La vérité sur Bébé Donge** (23)

Catherine Simon – **Un baiser sans moustache** (81)

Sophocle – **Œdipe roi** – **Le mythe d'Œdipe** (62)

Stendhal – **Le rouge et le noir** (24)

Villiers de l'Isle-Adam – **12 contes cruels** (79)

Voltaire – **Candide** (48)

Émile Zola – **La curée** (19)

Émile Zola – **Au Bonheur des Dames** (49)

Pour plus d'informations:

http://www.gallimard.fr

ou

La bibliothèque Gallimard

5, rue Sébastien-Bottin – 75328 Paris cedex 07

Cet ouvrage a été composé
et mis en pages par In Folio à Paris,
achevé d'imprimer par Novoprint
en mai 2003.
Imprimé en Espagne.

Dépôt légal : mai 2003
Numéro d'éditeur : 122279
ISBN 2-07-042885-0